To Jackie

Before Now

Memoir of
a Toerag

Moira McPartlin

Best Wishes

Moira McPartlin

Aug '21

TRILLEACHAN

First Published in 2021 by Trilleachan Press

Copyright © 2021 Moira McPartlin

Printed by Imprint Digital, UK

ISBN: 978-1-8383607-0-2

For my boys

John and Gary

How it aw stertit

AH SUPPOSE THERE'S loads eh stories that ah could stert wi. Lucky escapes ah suppose ye could cry thum. The story eh how ma maw ruined oor lives by draggin us away fae ma da an aw the calamity that followed. But ah cannae tell that just yet.

In ma hert ah've niver forgiven her, even though ah telt her ah hud a couple eh years ago when she took me tae that rock concert in Germany. Goad, that's anither lucky escape, but a later wan. Ah reckon mebbes that's number eighteen.

Ah could tell ye why ah'm stuck here in bed in the end room eh ma granny's hoose, but that can wait a wee bit until ah get aw the facts straight in ma heid. So, ah'm gonnae stert wi why ah'm writin these stories doon in the first place.

It wis Maw's idea. Ah'm gonnae be in here fur at least three months they reckon. In this wee room, wi a bed an a desk an a windae that's paintit shut. Ah've a telly an a radio an ma pals an Sam visit but they cannae come every day.

Yesterday Maw brought me a notebook.

'Ye ken ah cannae read an write guid,' ah says.

'That's rubbish, Gavin,' says she. 'You just think that because the teachers have been saying it for years. But with practice you can.'

An then she telt me a story.

Ma maw's really clever. Ah mean no just bein able tae dae a crossword clever but really clever. She kens everythin an reads tons eh books. Her bedside table is surrounded by a leanin tower eh books. But she's also guid wi numbers an stuff. She telt me when she wis wee at primary skill aw the teachers thought she wis great coz she kent loads eh stuff. An she wis a guid runner tae an they liked that. Teachers ayeweys preferred folk that could run fast at the sports day an wur guid at sums. Ah dinnae ken why, it wis just so. But every time it came tae readin oot lood Maw wis rubbish. So the teachers sort eh forgave her an didnae ask her tae read.

When she went tae the big skill they didnae dae too much readin oot loud. She'd thought she got away wi it.

BUT

Every now an then they hud an assembly. She went tae a Catholic skill an they loved thir bible. An each pupil hud tae take a turn at readin a passage oot the Bible. When she telt me this bit ah felt a cauld sweat burst oot aw ower ma foreheid. Her broos wir rippled wi memory. Ah kent whit wis comin.

An ah wis right. She hud tae dae it wan day. She tried tae get ma Granny Annie tae write her a note but Granny telt her tae get a grip an just dae it.

'It was just a wee passage, no more than four lines,' Maw telt me. 'Ah sat in the front row with the rest that were reading. Ma mouth was dry. Ma hands were sweating. Ah was third in line. First one got up. Ah felt sick. It took seconds fur them tae read. The one next tae me got up. Ma hert started pounding. Ah looked tae the door, but knew fleein would be more embarrassing. When ah stood up in front of twelve hundred pupils they aw looked at me like they were willing me tae fall flat oan ma face. Ma legs shook as ah climbed the steps, ah felt dizzy. Ah looked at the passage and the words blurred. Ah tried tae say the words but they came out wrong. Somebudy sniggered. Kate Meehan, from The Valley, was splitting her sides laughing. And then it was over. As ah walked down the stairs ah caught the eye of ma English teacher, Mr McLean. He looked shocked. He never treated me the same again.'

At first ah didnae believe this story, she wis that guid at readin oot lood, ah'd heard her loads eh times. But she kept up wi her story.

Maw telt me she hud wantit tae run but sat back doon, her face rid an she swore tae herself she wid niver read in public again. She hud tae, of course, but that wis the worst time.

Onywey, whit hus that story got tae dae wi me writin this? Ah'll tell ye.

Maw haunded me the notebook. 'You want to pass your driving test when you get out of here eh? You can drive, everybody kens you can drive vans. Ah've seen you myself.' (Ah can turn a van oan a penny, but that's anither story – number ten mebbes.)

'But,' she continued. 'What about the theory test? You have tae read the questions tae pick the right answer.'

She wis right, that puzzle hud been eatin at me fur a while.

'Do you know how ah got over ma reading problem Gav? Know what ah did?'

'Nut.'

'Ah practised – safely. A safe audience. Not an assembly full eh bairns, nobody tae laugh at me.'

'How? Who?'

She stertit tae laugh, 'You! You and Sam. How many books did ah read to you when you were wee?'

'Hunners.' Ah remember we got read tae whether we wanted tae or no. Da used tae tell her she wis wastin her time readin tae rowdy laddies but she did, every night. *Treasure Island, The Lion, the Witch and the Wardrobe, Alice in Wonderland* an oor favourite Roald Dahl. Ah think Maw preferred him an aw coz she could dae aw the sing-song voices.

'Ah didnae realise it at the time. Ah just wanted tae read tae you tae get you away fae the telly but then ah realised ma reading was getting better.'

She smiled at me. 'It works Gavin, honest. All you have tae dae is practise, safely.' She tapped the notebook. 'Write yer stories, God knows you've enough funny stories tae tell. Nobody needs tae see them. It's between you and the page. It doesn't even matter that yer spelling's rubbish. It's the writing that's the important bit.'

Ah wis a bit flummoxed. 'But how's writin gonnae help ma readin?'

'Ah've thought eh that,' she says. 'Once you've written them, you read them out loud tae your audience – or me if you like when ah visit.'

'You said ah didnae huv tae show.'

She hud a sneaky smile as she reached intae her bag. Ah nearly fainted when ah saw.

'Charlie Bear!' Ma best pal fae when ah wis wee – aboot five mebbes. Da swiped him fae me an put him in the rubbish – just fur cheekin. Said ah wis too auld tae take a bear tae bed. Ah remember greetin fur aboot a week. Ah huv a wee lump in ma throat now just thinkin back. Bastard.

'How? He threw him oot.'

She pit a haund oan mine but ah wheeched it away. 'Aye, that's what ah thought but ah found him last week when ah was up in the attic. The pig had kept him aw that time an never gave him back.'

'Why wir ye in the attic? Ye niver gan there.'

'There's a big bag eh cheap wool ah wanted tae chuck. Ah'll never use it now.'

Ah pick Charlie up, still no believin he came back. 'Mebbe Da just forgot.'

'Aye, maybe.' She brushed Charlie's ear like he wis real. 'He was a bit chewed. Remember that time we had mice.' Ah nods. 'Ah've washed him and patched him.' She sat him at the bottom eh ma bed an he grinned that friendly grin eh his, aw encouragin like.

'Ah'm no keen but ah dae want tae pass ma theory,' ah blustered, no wantin her tae see that lump ah'm shair wis burstin oot ma throat.

'Start with a list,' Maw suggested. She hud lists fur awthin. So ah dae a list, in ma heid, an ah reckon ah huv at least twenty stories tae tell.

When she gans away at last ah twiddle the pen an try tae grip as best ah can. Ah look at Charlie Bear who's still smilin. 'OK Charlie son,' ah says, 'here we go.'

*   *   *

Ah stert aff slow. Wance ah've written ma list ah realised that sum eh the stuff is no that funny efter aw. An of course thirs that horrible day ma maw left ma da – ah might no even write that yin.

Ah get masel as comfy as possible. Granny Annie's set up the room braw fur me an when she saw the notebook she produced this tray thing wi a sort eh bean bag attached tae the bottom. Ye ken, the type eh thing that auld wifies use tae eat thir dinner oan while watchin *Neighbours* or *Reportin Scotland.*

When ah pick up the pen again it feels funny; aw tingly like, coz ah've no held a pen much since ah left the skill or mebbe the nerves in ma airms are a bit shot efter ma accident. Either wey ah huv a wee practice an write rubbish fur a bit coz the blank page is scary. But then ah fund oot it's just like ony exercise, it hurts at first then gets a wee bit easier.

'Here Charlie,' ah says, tryin no tae feel stupit talkin tae a stuffed bear. 'This writin malarkey's no that bad. Maw's right. Who the fuck's gonnae ken if ah spell wrang.'

Onywey, here's a belter tae stert aff wi.

The Shed

MA MAW STERTIT hillwalkin oan a Sunday. No every Sunday mind, just now an again. She telt us it kept her sane an stopped her fae killin us. An onyweys she says, thirs plenty folk tae look oot fur us. At this time ah must huv been nearly twelve an ma big brere wis fourteen an a half – mair than auld enough tae look efter oorsels fur a day. She'd ayeweys leave first thing, afore we got oot oor pits. Sam wis still a heap under the duvet, so ah bounced doon the stairs intae the empty. Tilly, the dug, wis oot the back. The only things tae show Maw hud been aboot wis the wee bits eh cheese an breidcrumbs she'd no cleared up. It wis quiet.

Hamemade broon breid fur brekfast! She niver got the message we hatit her boufin breid. That brick hard ye could stoat it aff the pavement an stert an earthquake. Gies a pan loaf ony day.

The dug stertit yelpin tae get in but ah left her coz ah wis stervin an couldnae be ersed wi her beggin an droolin. Ah ran roond the corner tae Granny Maureen's. The sun wis splittin the trees an bouncin aff the church windaes; gonnae be a corker.

Ah smelt the fry-up fae miles away coz Granny's door wis wide open. She wis ben the kitchen an nodit her heid tae the livin room when she spied me, her mooth twitchin tae say but she wudnae. Ah keeked ma heid roond the livin room door. There he wis, ma da; the big man, hunched wee ower the deid fire, tinnie in wan haund, fag in the other, a pose ah'd seen muny times afore. Ah sees the torn look oan his face so ah backed oot afore he clocked me.

'Gran, where's Granda?'

'Up in the shed.' She looked oot the windae. 'Daft eejit's decided tae grow tamatas.' She scowled. 'Where's yer mum?'

'Hillwalkin.' Ah waitit fur her snarl, she bit her lip fur wan second. Ah could see her revvin up. Ah couldnae be bothert wi her bile so ah grabbed the piece oan bacon she haundit me an split.

Auld Joe wis paintin a windae box green. Same green as the shed, same green as the fence, same green as the truck he drives durin the week. A job lot ma maw says, fell aff the back eh the lorry he drives. She telt me if ever ah bring onythin nicked intae her hoose she'd take me tae the polis.

'Gran says yer growin tamatas.'

'Got tae make the planter first though, Gav,' he says wi that wee eye twinkle eh his. 'Where's yer mum?'

'Hillwalkin.'

'Good fur her. Where's Sam, still in his pit?'

'Aye.'

He nodit. 'How wid ye like tae come an help me? Ah've awready asked yer da but – well – huv ye seen him?'

'Aye, rough!'

Joe pit the last lick eh paint oan the box an plopped the brush intae a jam jar eh turps. 'Right, let's go doon tae Tod's.' Tod wis Joe's pal, ma Granny sumtimes went tae the bingo wi his soor-faced wife, Lorna.

'He's got a wee shed he wants dismantlin. An ah said ah'd take it.'

Ah looked roond Joe's gairdin. It's the size eh a paper hankie, awready crammed fou eh pots, bits aff an auld greenhoose, a swing seat he wis gaun tae dae up fur Granny, piles eh palettes destined fur greatness an three coal boxes, includin the wan he got aff ma Granny Annie an Papa the week afore.

We wir just leavin when Sam sauntered through the gate. 'Ony brekkie Granda?'

'See yer granny, son, but mind yer da.'

Sam nodit. He kent the score, we aw did. Eggshells.

Tod lived only three doors away. He hud fower sheds in his gairdin. The wan he wantit dismantlin wis the wee-est an painted *that* colour eh green. Perfect.

'Is that no the wan fae the petrol station?' ah asks.

'Aye, ah hud it since the station shut doon,' Tod says. 'But oor Lorna says ah've tae get rid eh it. Says she's no wantin a kiosk in her back gairdin. Wants room fur a gizeebow fur fuck's sakes.'

'A gizeebow, you could mebbes make her wan fae a palette Granda,' ah pipes. Joe took a swipe at me an missed.

He clawed at his thick heid eh hair. 'God but it's bigger than ah thought. Ah doot it'll fit in ma bit.'

'Can ah huv it?' ah asks.

'Whit aboot yer mum?'

'She'll no mind.'

'You sure? Remember that time ye took the sit-oan lawn mower. She went ballistic, if ah mind right.'

'Aye, but that wis only coz it spewed ile aw up the close an Cru-ella next door threatened ma maw wi the polis. Maw wis scrubbin that close fur weeks.' (Sum eh they marks ur still there but Cru-ella's calmed doon a bit.) 'Naw, this is different,

Granda, we can make it intae a den. She got oor last shed fae Papa, but she filled it fou wi a flymo an campin stuff.' Joe still looked doubtful. 'It's only fair she lets you gie us a shed too.'

'Och, aw right. Run doon an get Sam tae help.

Sam wisnae sae shair.

'She'll go mad.'

'No, she'll no, it'll be great, we can huv a den, we'll be oot her hair, she'll huv peace tae dae her studyin.' He knew this wis true. Maw wis ayeweys askin us tae gie her peace tae study. She said it wid be worth it wan day; she'd get a better job, she'd buy us loads eh great things, no that second-hand crap she got us the Christmas afore. In they days she wis ayeweys skint.

'Ah promise it'll be fine,' ah tells Sam.

'Ah suppose.'

We take it doon in sections. Balancin the slab foonds oan Tod's wheelbarra wis tricky; it took Joe, Sam an me ages tae guddle it tae oor hoose. Ah accidentally oan purpose forgot tae take the barra back. Tod widnae miss it. The rest eh the shed wis a skoosh. Joe helped till twelve then toddled hame tae take Da fur a pint. The baith eh them past us as we wir strugglin doon the street wi the roof. Da looked better – shaved, spruced up, stinkin eh Brut aftershave as if he wis gonnae catch anither wife in the local. Sum chance he hud.

'What are you pair up tae?' he says, aw chummy.

'Buildin a shed,' ah says. Sam blanked him.

'Did yer mum say it was OK?'

'Aye,' ah says.

'What dae you care?' Sam says under his breath. Ah saw Da's shooders square, but he let it pass.

Sumhow we managed tae get the roof through the close in wan piece, but Tilly escaped oot the gate when we opened it so ah hud tae gan efter her an ah just grabbed her collar afore she went under a car. The driver blastit his horn an shook his fist at me.

'It wisnae ma fault,' ah shouts efter him.

It wis scorchin but we hud the shed up in nae time. We usually fought ower everythin but this wis too guid tae fight ower. Sam kent exactly how everythin fittit back thegether.

'Gan an get yer telly, Gav.'

'Eh, how?'

'Just get it.'

By the time ah came back doon he'd dug a wee trench in the gress fae the back door tae the shed.

'Ye huv tae bury electric cables,' he says as he ran the extension lead fae the shed in through the kitchen windae an plugs it intae the fridge-freezer socket. He covered the trench wi durt an slabs as if it wis niver there.

We pou'd oot the campin table fae the other shed tae set the telly oan, the campin chairs facin it.

'Ah ken whit wid make this better.' Ah ran back up tae ma wee box bedroom an grabbed the plastic-coated fairy lights ah fund in the skip at the back eh the Co-op the week afore. At first ah pit thum roond ma windae but Maw ordered me tae take thum doon. She said it looked dead common an we wir awready the talk eh the village. Sam's taller than me so he strings thum up. They looked mint oan the shed. They even hud a three-wey flashin sequence.

Mrs Patrick fae ower the back shoutit through her line eh washin, 'Havin a disco boys?'

Sam, fur wance, looked happy. That happy in fact he gied me wan eh his fags.

'This is a rare den,' he says.

'Ah ken, Maw'll niver see us.'

Then we heard a shout. 'Help ma bob, what on earth.' It wis Cru-ella fae next door.

At first we thought she must huv been up at the church otherwise she'd huv been oot afore this. But naw. Hur new bidie-in loitered oan her doorstep, smokin an smirkin like he'd won a watch.

'What an eyesore! Ah'll be seein your mum about this when she comes back from her gallivantin. Where is she?'

'Hill...' Sam grabbed ma mooth an hauls me intae the shed.

'Dinnae git her stertit, Gav. She'll get Maw intae trouble again.'

'She's a COW,' ah shouts so she'd hear me. Sam punched me, so ah punched him back an we pou doon the lights in oor tustle so we hud tae stert aw ower again wi the auld witch watchin us fae the by-lines. We wir fair sweatin so hud tae take oor taps aff.

'Ah'm stervin,' ah says. 'Should we no go up tae Granny Annie an Papa's fur sum scran? They're bound tae be back fae chapel now.'

'No, Maw's no telt them aboot her hillwalkin, they'll no approve eh her leavin us,' Sam says. 'Ah'll make ye sumthin.' He dug oot the new campin stove Maw bought fur oor last campin holiday as a proper faimily. Sam nearly blew hisel up wi the auld stove when he wis muckin aboot tryin experiments an stuff. Maw blamed hersel, said she should huv chucked it years ago, but she's a hoarder. Ah think she must huv got this new stove oot her Brian Mills catalogue, no second-hand, so it's better.

We hud beans an sum eh the boufin broon bried an settled doon tae watch a film. *True Grit* ah think it wis, even though we'd seen it hunners eh times afore.

It wis just gettin tae the guid bit when suddenly the telly dies.

'Power cut,' Sam says. But ah hud a sinkin feelin in ma belly that wisnae fae the beans.

She wis standin at the back door, extension plug in her haund, her hair aw stickin up wi sweat as if she'd been electricutit.

'Have you two gone mad?' she says through gritted teeth. She pointit tae Sam. 'Was this you?' Right enough he wis ayeways fusin the lights wi his experiments. 'Dig that cable up now! It's domestic, not for use outside.'

'But how can we git oor power?' ah says.

'Ah'll give ye power.' Her voice grew louder. 'And where did that come from?' She pointit at the shed. 'And those lights, what did ah tell you about them?' She turned oan me.

'You've spoiled it!' ah screamed. 'You spoil everythin.'

Her face collapsed. She nearly said sumthin else but the voice fae ower the fence stopped her.

'Hammerin and bangin aw day they've been.'

Maw turned tae the witch but didnae say a peep, like she wis scared eh her.

'Sam, please tidy up that hole. Gavin, take the lights down, you can put them round your bedroom window, they'll look better there and won't get broken when it rains.' She helped us tidy the gairdin. Aw the while the witch watched. Then Maw herdit us inside sayin, 'Go get washed, ah'll make some tea.' An she slammed the back door shut, even though it wis still braw ootside.

Her rucksack wis lyin where she'd dropped it oan the kitchen flair. By the time we're back doon, she'd fed Tilly an wis whiskin eggs. She dipped her uneaten cheese pieces in it an fried thum up just the wey we liked thum. Efter that she emptied the rucksack oan the flair an let us huv the squished up Milky Ways she niver ate either.

Sam prodit ma back. Ah kent whit he wantit.

'Can we keep the shed?' ah asks.

'Aye, ah suppose it's not doing any harm,' Maw says. 'Now bath, the pair eh ye. School tomorrow'.

*   *   *

It wis teemin wi rain last night. Ah could hear it batterin against the windae.

Sumwhere in the distance ah heard a siren gaun along the main road an ah realised ah missed ma hoose.

Oor hoose sits just a wee bit back aff the main road. Fine an handy fur Azid's shop an the bus stop. Ye can see the church fae ma maw's bedroom windae, also up the road tae the Commie an ma Granny Annie's hoose. Course bein sae close tae the road wisnae sae guid fur Tilly the dug, who wid escape at every opportunity an hud the road sense eh a hedgehog.

Oors wis a middle terrace cooncil hoose. We shared a close wi Cru-ella. Ah ayeweys thought Cru-ella wis auld but she hud boyfriends sumtimes so maybe no that auld, eh? The other side eh us changed aw the time. Folk wid move in, decorate, be aw happy then the next thing they'd flit. It wis like the hoose wis hauntit or sumthin.

Maw husnae been back fur a couple eh days. She hud tae gan tae France or somewhere. Granny Annie's just been in wi ma brekkie. Porridge – she ayeweys gies me porridge wi salt but lets me pit syrup oan it, but no too much.

She gans tae pit the telly oan but it's only ten o'clock so ah stop her.

'But what are you going to do all morning?' she asks.

Ah haud up ma notebook.

She tuts. 'Your mother and her daft ideas. She would do you more good by staying at home, looking after you herself.'

Granny did huv a point but ah wisnae gonnae get intae a slaggin match wi ma jailor.

'Did ye hear fae Chuddy, Gran? Ah thought he'd be in tae see me.'

'Aw son, has nobody told you?' Ah felt ma hert race, ma haunds aw sweaty.

'What? What's happened?'

'He's in the jail.'

Ah'm embarrassed tae sae ah felt relieved. 'Whit fur?'

'The usual. Nicked a car, except this time he was fou as a puggy and when the police chased him, he thought he was Steve McQueen in a rerun of *Bullet*. Until he smashed into the colliery gates. They say they couldn't get him out the car, had to wait for the fire brigade to cut him out but all the while he was howling with laughter.'

'We wir gonnae sit oor theory test the same day,' ah says.

'Aye well, you're well shot of him Gavin. And when he gets out you are to stay away from him.'

'Gran, ah'm seventeen, ah'm no a daft laddie ony mair.'

She patted ma bed covers just tae remind me. 'Oh, is that right?'

When she took the porridge plate away an left me tae ma jotters ah felt kindae flat an then ah thought aboot Chuddy an stertit laughin. Whit's he like?

The Experiment

MA BEST MATE Chuddy is a rocket. No just a guid laugh rocket but truly wired tae the moon. Mind you, that dis make him a guid laugh as well but sumtimes he gets scary. Granny Maureen says he'll come a cropper wan day (ah suppose that day hus come). Maw says, 'Fly wi the craws, get shot doon wi the craws.' Even so, she cannae help laughin at him an aw.

The best laugh ah hud wi Chuddy wis at the skill. He wis in ma cless in first year – S1d. Ma big brere, Sam, cried it 'the D fur dummy's cless', but that's no true. It's no like we wir in remedial or that, but it's true wi wir nearly oan the bottom rung. Maw ayeweys maintained ah'm dyslexic, but the teachers at primary wudnae huv it. They said ah wis unteachable. Maw tried tae teach me tae read but ah couldnae sit still so even she gave up.

Onywey, Chuddy's no dyslexic, he's just crazy, it runs in his faimily. Chuddy's brave an aw. He ran away fae hame when he wis three; cycled his wee scooter nearly fower miles afore the polis picked him up. Halfwey tae his granny's in Cowdenbeath he wis. He didnae get quite sae far the time he nicked the double decker bus, but that's anither story.

This story's aboot the skill an how much fun it wis even

though ah couldnae dae the work. Aw the teachers (bar wan) ratit me an Chuddy, as did aw the prefects. Ah didnae ken why that wis – it just wis, but it suitit me fine coz it meant we got away wi murder maist eh the time.

The teacher that hatit us wis PoP, oor science teacher – braw mind, wi big tits that wobbled inside her jumper like twa rabbits haein a tussle. But she deserved her name PoP, Princess of Pish she wis an nae mistakin. She wore troosers at half-mast an sparkly shoes – as if that wid make us like her.

Unlike the other clesses in oor year we didnae get split-up science, ye ken, like biology, physics an chemistry. We just got SCIENCE. Mind you, she still made it hard, aw yon charts wi letters an numbers an worksheets tae fill oot. We wantit experiments.

A couple eh weeks intae the term me, Chuddy an the rest eh the cless got fed up wi her. Chuddy says, 'If she thinks we're too stupit fur experiments, we'll make oor ain.'

'How?' ah asks.

He hauds up his wrist. 'Watch,' he says, tappin his Count Duckula watch. 'Let me explain Igor,' he says in his worst Transylvanian accent.

We coontit how muny digital watches we hud in the cless. It wisnae hard coz we aw cherished oor digital watches an if ye hud a Casio, ye wantit awbudy tae ken. The lassies wir mair difficult tae suss; sum didnae even huv a watch, but that's just lassies fur ye.

We reckoned we hud enough.

Oor science cless wis just efter mornin brek so that made it easier. Durin brek me an Chuddy worked oor wey roond aw the cless. Again the lassies wir the hardest coz they spent maist o the brek in the lassies' bog (whit ur they like?!) An then, when wi dae eventually get thum they're aw gum-bumpin an 'whit if wi git intae trouble?'

'Get a grip,' ah says tae Eleanor White. 'It's an experiment, PoP cannae punish the hale cless.'

'But ah'm awready oan detention fur smokin,' she says.

Ah wantit tae say she shouldnae huv got caught but say insteid, 'It'll be fine. Trust me.'

In the end she gies in an then aw the rest dae tae, even her dopey pal, skelly-eed Bridgit.

When we aw trooped intae cless PoP wis writin up mair pish oan the board. Sum shite aboot carbon.

'Miss, Miss,' ah says. 'Ma Papa used tae make gas ootae coal by carbonisin it.' PoP turned roond, dead slow like, an stared at me as if ah'd just keiched ma breeks.

'Don't talk rubbish Gavin, sit down an shut up.'

'But it's no rubbish. Ma Papa explained it aw tae me, it's fascinatin, aboot retorts an gas an tar an aw sorts eh by-products ye git oot wan wee bit eh coal.' But ah kent the score wi teachers, so efter anither glower fae her ah shut up an bided ma time.

Usually ah'd faa asleep in her cless but ah wis as bright as a bee that moarnin. Halfwey through the period wan eh the lads in the front row stertit sniggerin. Chuddy gied him a slap oan the heid but ah could tell wi the giggle eh Chuddy's shooders that he wis rippin it an aw.

Wi ten meenits still tae go, ah could feel masel stert tae sweat, my paws wir clammy, ah couldnae help look at ma watch. Ye ken whit it's like waitin fur seconds tae T-I-C-K by.

PoP wis full speed intae her carbon crap. Seven meenits afore the bell the room took a shift, breathin stopped. Sumbudy fartit, ah think it wis Wullie Mcgloan. Like a cork explodin fae a bottle, folk stertit tae laugh. Chuddy shoutit tae shoosh wi a voice that wis too high even fur him. PoP says, 'Why thank you, Paul,' an continued.

It wis that quiet, only the soond eh her scratchin oan the board an the tick eh the cless clock. Aw folks bar wan stared at that clock, naebudy looked at thir watch.

Then.

Beep, beep, beep, beep, beep, beep, beep, beep, beep, beep – twenty wan fuckin beepin beeps aw gaun aff at wance. We did it. Priceless!

Ah spun a swatchie roond the room, awbudy wis loupin, happy fur wance.

The cheerin an laughin drooned oot PoP's shout fur order. Her face wis purple, her cheeks puffed oot, her mooth workin blah, blah. Above it aw ah heard Chuddy howlin wi mirth, haudin his belly like he wis gaun tae burst, ah swear if the bell hudnae rung an we aw hudnae scarpered he'd huv pished hissel.

Wurd eh oor experiment sin got roond. In the corridors folk slapped aw us S1ds oan the back, jossin like. Even the heid eh oor year hud a laugh in his step an a grin in the shake eh his heid when he passed us. The prefects wantit the hale story.

We thought aboot skivin Science the next week but in the end we gan in just tae see whit PoP might dae tae us. She niver says a peep aboot it. Mind you, efter that day every time she looked at me she narrowed her een, like she hud an idea it wis me an Chuddy but she niver proved it an we kent naebudy wid grass us. Awbudy just wantit tae ken when oor next experiment wid be.

The Fall

So, whit the fuck happened tae get me intae this state? Ah'd love tae say it wisnae ma fault but that wid be a lie.

See, when ye huv an apprenticeship ye get peyed peanuts, an ah mean peanuts. Ah monkey couldnae dae what ah dae. Mind you, ah've just proved ah cannae dae whit a monkey can. Bottom line is that ah used tae dae homers, ye ken, wee jobs oan the fly fur pals at the weekend. An when word eh that gets oot then faimily want a freebie here an there.

Granda Joe wis first in line.

Joe an Granny Maureen bought thir council hoose at the beginning eh the year. They stertit daein it up. Ye ken the script: new windaes an doors, nice new gas fire wi thon wee red bulbs fur kid-oan coal. They couldnae quite stretch tae a new kitchen but there ye go. Onywey. They huv this tiny box room, wee-er than the yin at oor hoose an wi a teeny roond windae. Roond windaes cost a fortune an, accordin tae Joe, it wis gonnae cost mair tae replace than aw the other windaes pit thegether.

'Ah'm no peyin that,' Joe says tae me. 'Naebudy gans intae that room so it disnae need double-glazed. Whit aboot you dae up the metal frame fur me an replace the gless.'

'Ah cannae dae that.'

'Ah'll make it worth yer while.' Aye right! Ah'm still waitin fur the fiver he owes me fur diggin dung intae his tattie patch last year.

'Naw, yer aw right Granda, ah still cannae dae it.'

'How no? Yer a glazier ur ye no?'

'Granda ah'm an apprentice.' The windae didnae huv a porch below it like oors, it hud a twenty feet drop.

'How am ah supposed tae get up tae it?'

'Can ye no dae it fae the inside.' Now that might soond like a daft idea but coz Joe is too mean or skint tae pey fur a windea cleaner, Granny Maureen hus tae dae thum hersel. It fair makes yer blood run cauld tae see her sittin her big erse oan the windae ledge an lean right oot tae get the ootside windaes clean. If she cannae get her flabby airms in the gap atween the open frame an the waa frame she hus tae shuffle her bum right oot an stretch tae get the inside corner. It's a wonder she husnae broke her neck afore this.

'Ye cannae dae it fae the inside Granda, trust me.'

'Whit aboot yer dad's ladders?' Ma da hud a wee stint at windae cleanin just efter his redundancy. Awbudy thought he did it just tae make sum money but it wis probably tae prevent his maw becomin a big splat in the front gairden.

'Ah selt thum.'

Granda Joe peered up at the windae scratchin his day auld stubble. 'Ah ken a bloke who kens a bloke wi scaffoldin.'

'At oor work thirs only wan squad that's allowed tae erect an gan up scaffoldin. They've been trained.'

'Mmm.' He claws at his chin again.

'Can ye no hire a cherry picker,' ah says. 'Ah've ayeweys fancied a go oan a cherry picker.'

'Naw. Ah think the scaffoldin'll dae the trick. Ah mean, how hard can it be? It's just like Meccano fur big folk.'

Wance he got the idea intae his heid thir wis nae shiftin it. Ah avoided gaun up fur a couple eh weeks but eventually he wis doon at the door.

'Ah need oor Gav tae help me wi a wee job, Lily.'

Now at this time ye must be wonderin why he didnae ask oor Sam tae help. Well that's coz Sam'll no go near Granny an Granda's hoose efter he hud an 'encounter' wi ma da there. But that's anither story an best left untelt.

'He can't come the day, Joe. Ah'm just away to the airport an ah need him to go up to my mum's with a message,' Maw tells him.

So the next day ah gan up tae Joe's hoose an aw the scaffold bits are lyin oan the front green. Muckle rusty tubes an connectors. They looked as though they'd last been used tae build Noah's Ark an then been left oot in aw the rain ever since. The planks, or battens as Joe cried thum, wir even worse. Swollen an split an shiny as fuck wi green slime an funny wee orange spots oan thum, like they hud sum disease.

Granda awready hud the jacks laid oot. An ah admit, it wis a dawdle tae fit thegether, but fae whit ah could mind eh workin at hooses where oor company lads hud the scaffold up, thir wis sumthin that wis supposed tae attach the scaffold tae the hoose. Ah huntit through the stuff lyin aw ower the shop but thir wis nuthin that looked the part.

Wance the metalwork wis up me an Granda liftit the batten tac wan side an sort-eh seesawed it up oantae the first transom, then ah climbed up ahint it an shoogled it along while Granda wiggled it fae below. Wance it wis in place ah climbed doon an we baith stood back an surveyed oor handiwork.

'When ye've finished there gonnae come roond ma bit an

dae ma windae tae?' It wis Randy fae next door. The laziest bastard that ever walked oor streets. His long sufferin wife, Jean, wis forever roarin at him, 'Randy, God didnae pit you oan this earth tae sit oan yer erse an read the Sunday Post.' 'Randy, if ye dinnae get movin oot that seat ah'll be draggin ye oot tae the kerbside oan Wednesday mornin wi the rest eh the rubbish.' That sort eh thing. Ye could hear her through the waa.

'It disnae look very safe,' Granny says as she brought us baith oot a cup eh tea.

'Ye've nae idea whit yer talking aboot wuman.'

'He's no gaun up it an that's that. An if you persist wi this Joe Smart, ah'm gaun tae phone his mither an get her tae tell ye.' Granda rates ma maw fur sum reason so he just sipped his tea an stared at the scaffold.

'Dae ye want tae stey fur yer dinner son?' Granny asks. 'Is yer maw at hame or away galavantin again?'

'She's away galavantin again. She's in Houston, Texas,' ah says, quite likin the wey that soondit.

Joe laughed. 'See when she phones ye, go an ask her tae bring me back a Stetson. Ah've ayeweys wantit a real Texan Stetson.'

'OK.'

'Ah'll away an pit another couple eh tatties in the pot then.' Then she pointit tae Granda. 'An mind you, ah'm no huvin him gaun up there. Get rid eh it.'

Joe scratched his chin again. 'An how dis she think we got it built withoot you gaun up oan it? An how dis she think we're gonnae git it back doon?'

'We better dae as she says Granda.'

But he wis right, ah'd awready been clamberin aw ower the fuckin thing but wis so intent oan gettin the bits tae fit in the right holes a niver even thought aboot the height.

'Git ower the other side son an ah'll shove the batten tae ye.'

Ah climbed up the ootside an as he pushed ah pou'd an coz the batten wis slittery wi slime it slid nae bother. In fact it wis that slithery it came shootin past me an as ah tried tae grab it ah tumbled right efter it. When ah hit the deck this big fuckin searin pain shot through ma leg an ma back. Ah didnae faa far but ah landed oan the batten an ah landit squint. Ah cannae remember shoutin as ah fell but ah must huv coz Maureen wis aside me in click time.

'Watch his back.' Ah heard shoutin, it might huv been Randy fae next door. 'Don't touch him. Ah'll phone.'

Next ah heard Sergeant Alexander's voice. 'Get me a newspaper Maureen.' An then he's shovin a foldit-up Sunday Post between ma neck an the groond, then haudin it at the front. Ah could hear aw sorts eh commotion an ah wantit tae be sick but when ah tried tae move the pain blastit through me an ah could feel Joe touchin me lightly oan the chest.

'Ssh son, dinnae move.'

'Shh son.'

'Shhh son.'

Ma mooth wis filled wi snot an ah realised ah wis greetin. Ah must huv passed oot coz the next thing ah ken a big bloke wi a yella jaikit wis chokin me wi a collar. An sumbudy wis stabbin ma airm wi a needle. An ah woke up in a bright white room an a felt as though ah hud been through a washin machine fast spin.

*   *   *

When ah finish writin aboot the experiment ah can feel a smile oan ma face an it hurts coz ma mooth's no used tae smilin that much these days. Gettin auld is shite. Ah miss Chuddy. Ah could fair dae wi his help durin this pickle ah'm in. Lyin here like this is rubbish. Ma heid's mince if ah think too much aboot the accident an sumtimes ah get wee flash-backs eh faa'n so it's guid ah've got these stories tae fill ma heid wi other stuff.

When ah think oan it now ah suppose it's a miracle that this wis the first time ah ever hud a broken bone. Aw they times divin through hedges playin Commandos; aw the times ah fell aff the rope swing up the burn. An thir wis the skiin. That could huv been disastrous but like ayeweys ah niver took much eh a risk assessment tae onythin afore ah louped intae it.

This experiment incident must huv happened efter ma da wis oot the hoose coz ah wis at primary when aw that blew up. Ah remember the claes ah got fur gaun up tae the big skill. Maw hud nae money an got coupons fae the cooncil. But she got loads eh cheap shite, plastic troosers an a big fuckin green parka, it hud a hood wi fur that mattit intae big wooly dugs ears. Ah hatit that coat an used tae hide it ahint the bus shelter afore ah got oan the skill bus. Ah didnae gie a fuck that ah wis frozen.

Maw changed a lot efter ma da. It wis as if she wis oan a mission. She turned the wee box room intae a bedroom fur me. Ye could only just squeeze ma bed in but aw loved haein a room tae masel. The livin room wis open plan so wance ye got through the front porch ye wir intae the livin room an stairs. Ye could sit at the top eh the stairs an hear awthin gaun oan. If it wis ma hoose ah'd build a waa tae make a lobby. Ah ken how well these hooses gan up in cases eh fires. An we pit that tae the test a few times.

The Chip Pan

BILLY, THE GUY who lived roond the corner fae oor hoose, deid last week. It wis a chip pan fire that got him in the end but it could huv happened other weys tae. He wis a pure alcoholic an ayeweys settin his hoose up in flames, faa'n asleep wi a fag in his mooth, leavin a roastin fire wi nae guard – that sort eh thing. The fire brigade wir practically camped oot front. But this time he must huv come hame fae the pub wi a dose eh the munchies, pit the chip pan oan tae melt an drapped aff tae Zs-land. They got him oot the hoose afore he wis toast but he deid just the same.

Ye dinnae see muny chip pans these days. 'Dangerous!' Granny Annie cries thum. Aw right fur her tae say wi her fancy deep fat fryer. We used tae huv a chip pan. It must huv been red an shiny wance but soon got aw run doon the ootside wi greasy grey an black streaks like the snotters oan aw the Macgloan bairns' lips.

Often Maw tried tae clean the chip pan. Ye ayeweys kent when this happened coz the chips tasted funny an ye'd spie the bucket filled wi newspaper an greasy floaters sittin oot the back door. It wis maddenin. Ah'd rock up tae the hoose fur ma tea an there she'd be attackin the pan wi a brillo pad. Ah dinnae ken why she bothered, she didnae make a dent in they welded oan snottery streaks. Ah wid then huv tae wait till she meltit two new blocks eh Crisp an Dry. Apparently Crisp an Dry's healthier than thon other stuff she used tae git fae the butcher's van.

Maw made the best chips an oan a Wednesday she used tae cook us fried egg an fritters coz she wis skint then but me an Sam loved Wednesday fritters. When ye bit intae the delicious crispy batter ye hit a big roastin slice eh tattie that took the roof eh yer mooth aff. 'Watch no burn yer tongue,' she'd say every time. But ah couldnae stop masel wirin right intae thum.

Aw that stopped when she chucked the chip pan oot.

It wis oor Sam's fault.

It wisnae long efter Maw took us away fae ma da. We'd been bidin wi Granny Annie an Papa – ah hated that bit. Ah dinnae ken how Maw did it but, miraculously, the cooncil threw Da oot oor hoose an haunded the key back tae Maw. So, we gets back intae oor ain hoose an collects Tilly, the dug back fae her temporary lodgins.

The chip pan survived the first clear oot when, the meenit wi get back intae the hoose, Maw gans intae this cleanin frenzy an chucked loads eh stuff includin her mattress.

Maw worked in an office in the toon an, due tae her extra oors, didnae get hame fae work til half five which wis bad enough but oan a Wednesday she went tae night clesses an came hame late. We'd be stervin by the time she rocked up tae the hoose. The first couple eh weeks Sam makes us jeely pieces but we get sick eh thum pretty quick. The next week oor Sam says, 'Let's make chips.'

'We're no suppose tae,' ah says. Which wis true coz she warned us a hunner times.

'But it's easy,' he says.

He stertit tae melt the fat – watchin it right careful like. Then he took the tatties an peeled thum an chopped thum just the same as Maw hud but he forgot that Maw ayeweys dried thum in a dish towel. He didnae dae that, he just chucked thum in. The pan splattered an hissed like a dragon oan heat, the fat foamed an stertit tae erupt, risin tae the top.

'Fuck, it's gaun oan fire,' he shouts. Ah slammed the lid oan quick as a flash an pou'd the pan aff the heat. It didnae catch fire an efter a while he pit it back oan the heat but the damage wis done. The chips wir boufin – soggy, greasy mush. Pure rank.

Maw gans radge when she gits hame coz the hoose wis stinkin.

'What did ah tell ye about the chip pan?' An she cloutit oor Sam oan the lug coz she kent it wis him.

But the next week he did it again. He niver wis wan tae take a tellin.

This time he remembered tae dry the tatties in a dish towel though. An they wir braw an tasty, just like Maw made. He even let me pit tamata sauce oan thum.

Efter he dished up, he pit the pan ootside oan the back door step wi the lid oan tae cool afore shovin it back in the cupboard.

'Next week ah'll make ye fritters,' he says.

'Braw,' says I.

By the time she gets hame we wir sittin good as gold watchin *Nightmare on Elm Street* for the hundredth time, pretendin tae eat jeely pieces. But when she stepped through the door ah saw her sniff wance an she gans radge again. Oor Sam swore blind he didnae touch the chip pan but of course the fat wis still a bit runny an warm.

'Don't,' clout, 'you,' clout, 'lie,' clout, 'tae,' clout, 'me!' clout. Ah should point oot that Maw's clouts ur a bit like being slapped by a butterfly. She's too wee tae hit properly.

The biggest blow wis her chuckin the chip pan in the bin, runny fat an aw.

Wance she chilled a bit she taught us baith how tae make French toast. It still involved a pan wi fat but sumhow she thought we could handle that.

* * *

Ah managed tae Billy's funeral yesterday. Maw's in Kuala Lumpur this week, but Granny Annie got Sam tae take me. Ah'm no supposed tae gan ootside fur another week but they got a lend eh a wheelchair fae The Red Cross – nae wey wis ah missin the funeral. Awbudy in the village ayeweys said Billy wis a gypsy so we wir lookin forwards tae sum strange goings oan. We wantit tae see who wid turn up. He hud sisters who showed up at his hoose now an again when he wis alive; auld wumen wi jet black hair an jingly gold bangles. They wir at the funeral but nae gypsy caravan turned up nor horses pou'n the hirse, just the man fae the Co-op that dis aw the funerals.

The wuman that did the service telt us that Billy hud wance been an engineer in the Navy an hud traivelled aw ower the world. He'd a wife an bairns, but thir wis only his sisters an folk fae the village at the funeral. It wis a pure revelation. We just thought Billy wis the alkie who lived up the road.

An it got me wonderin – ah bet when ma da dee's the folk at

his funeral'll be surprised that he wance wis an engineer an hud a wife an bairns tae. Coz he's pure gaun the same wey as Billy.

Sumtimes ah get really tired an huv tae gan tae Zs-land in the efternin, an that trip oot tae the funeral fair puggled me.

Ma Da

MA MAW SAYS ma da wis ayeweys an alcoholic, but that's no the wey ah remember it.

Ah think ah wis his favourite. He wis nice enough tae oor Sam maist eh the time, that wis until Sam got aulder an bigger an stertit tae cheek him. But ma da ayeweys gave me stuff first, ayeweys played ma games oan Christmas mornin.

He's a big man, ower six feet four. That's who me an Sam get oor height fae. When we wir wee Da wid take us doon the park fur a game eh fitba. Me an Sam hate fitba. Da's fitba daft. His prize possession is a wee splinter eh wood that he keeps in a Swan Vestas box. Every now an again, usually when he wis guttered, he wid take it oot an show it tae us, tears in his een.

'This wis the best day eh ma life. Wembley 1977, we beat thum 2-1.'

Sumtimes he'd take me tae see the Pars. Sam went wance but hatit it. Ah hatit it an aw. Aw thon drunk men peein oan the terraces, greasy pies an bawlin an shoutin efter players that couldnae run fur toffee, the worst wis haein tae wear the black an white hat an scarf maw knittit me, beemer or whit. But it wis time wi ma da so ah pit up wi it. He stopped gaun efter the redundancy so that wis that. Still wi sum eh his redundancy, he bought us baith Pars strips fur gaun oan holiday tae Tenerife. It wis a nice kit but ah wantit the shell suit an aw. Ah wis wee then so ah wrote tae Santa kennin that even though ma maw ayeweys said she didnae huv enough fur a shell suit Santa wis shair tae get me wan.

When Christmas Day came ah wis up at four in the mornin. Ah ran doon the stairs an there wis aw oor pressies lyin oot oan either end eh the settee. Ah kent whit end wis mine coz lyin right across everythin wis a Pars shellsuit. Ya dancer, ah thought, guid yin Santa.

Ah pit it oan an wore it aw mornin. Ma maw kept pattin it doon as if it hud creases oan it. Ma da cracked a can eh lager an tanned it in wan gulp afore gaun up tae see Granny Maureen an Granda Joe. Me an Sam went wi Maw up tae see Granny Annie an Papa wance they got back fae the chapel. Granny wis delighted wi her pressies an Papa helped Sam tae build his Snake Mountain. It seemed that Santa couldnae stretch it tae Castle Grayskull fur oor Sam even though it wis tap eh his list.

Efter a while we hud tae gan doon tae see Granny Maureen an Joe. When we got there Granny wis in the kitchen ladlin oot bowls eh soup. Ma da wis hunkered by the fire, tinny in yin haund, fag in the other. He wis grinnin fae ear tae ear.

'Moan here, Gav son.' He cries me ower. 'Ma laddie'll be the next Kenny Dalgleish.' Fuck knows where he got that idea fae.

Sam wis lurkin in the doorway. Auld Shuggie fae doon the street wis there tellin yarns aboot his time in the Merchant Navy an when he got deportit fae Australia. Thir aw laughin an jokin an swiggin fae cans.

Ah clamber ower aw the ashtrays lying oan the flair. As a reach ma da he pit his haund oot tae take me intae a cuddle. The fag in his haund brushes against the shell suit airm.

'No!' ah hear Maw gasp. Ah look doon at ma airm an thirs a perfect hole the same size as a fag but crinkled roond the edge.

'Sorry wee man, ah'll git ye another yin,' ma da says an takes another swig oot his can.

'It's aw right Da,' ah say, even though ah want tae burst oot greetin. 'It's just as guid wi a hole in it.'

Ah look across at ma maw, she's sort ae tryin tae smile but thirs a wee quiver in her lips. Ah saw Sam shake his heid an leave the room. Ah wantit tae gan an aw but ah kent that they'd think ah wis a baby if ah left.

Ah fund oot later that she hud saved like mad an borrowed tae get that suit. It must huv broke her hert tae see it burnt in the first day eh wear. An of course he niver did get me another yin.

But he wis still ma da fur aw that. The week efter we left him, when we wir still steyin at Granny Annie's, it wis his birthday. Ah thought he must be lonely aw oan his ain so ah bought him a birthday caird an went in efter skill. But he wisnae there so ah just popped it in the letter box, hoping he'd phone tae tell me thanks. He didnae.

When it wis ma birthday that year, ah couldnae wait tae get back fae skill tae see whit ah got fae him, but thir wis nuthin. No even a caird. Ah heard Maw oan the phone tae him that night sayin, 'What ur ye talking aboot, just a wee card wouldnae huv broke yer bank.'

We niver got onythin fae him ever again.

The day ah gave up oan ma da wis when ah went tae see him in his new flat. Every now an again ah'd gan up tae see him at Granny Maureen's but normally he'd just make me a cup eh tea an no say much. Ah thought it wis coz Granny wis there an he didnae want her tae see that he cared. So when she telt me he'd moved intae a flat in the toon, just doon fae ma skili, ah phoned him at the number she gave me.

'Hello,' he says, right wary like, as if he wisnae used tae folk phonin him, or he wis feirt sumbudy hud found him.

'It's me. Gavin.'

'Aw, hiya son, how's it gaun?'

'Braw.' Thir wis nae mair so ah says, 'Ah hear ye've got a new flat.'

'Aye.'

'Ah ken where it is so ah thought ah'd come an see ye.'

'Oh, aye, that'd be braw.'

'So when, then?'

'When what?'

'When can ah come an see ye?'

He stertit laughin. That wis weird, he wisnae really a man that laughed much. 'Ony time ye like. Ah'm no gaun onywhere.'

'Ah'll come the morn at lunch time.'

'Aye, see ye then,' he says an pits the phone doon withoot a cheerio.

The next day Chuddy an the gang ur wantin tae gan tae the chip shop near the swimmin baths, ah walk thum halfwey doon the road then peel aff.

'Ah'm away tae see ma da.' Ah buys two cornbeef rolls fae the corner shop, wan fur him an wan fur me hopin he might huv sum juice coz ah'm now aw oot eh cash. Ah kent where he steyed coz ah hud swung roond there a couple eh times just tae check ah hud the right street. It wis yin eh they upstairs flats that ye go roond the back eh the hoose an up concrete steps tae a door. Ah chapped. Thir wis nae answer. The door hud gless an a letter box. Ah peered through the gless but it wis too frostit tae see. Ah keeked through the letter box. The hoose reeked eh fags an soor milk.

'Da, ur ye in?' Nae answer. Ah wondered if he wis hidin, but the hoose felt empty, ah could tell. Ah shoved the cornbeef roll through the letter box an dragged ma erse back tae the skill.

The next week ah went tae the door unannounced. This time when ah chapped ah spied his shadow scuttlin away. 'Ah ken yer in there,' ah shoutit through the letter box. 'It's only me, Gavin, let me in.'

This time ah got in. Ah wished ah hudnae. He wis aw raggedy, unshaven an sort eh sad lookin. He sat oan a tatty chair that looked like he'd hauled it oot a skip. He hung his heid.

'How ur ye?' ah asked.

'Survivin.'

'Ah'm oan ma lunch brek fae skill.'

He noddit. Didnae ask me how skill wis gaun. Didnae ask how Sam wis.

'Ah've got a wee job at Maw's work.' Ah thought the mention eh Maw might shake him an it did coz he liftit his heid an looked at me.

But then he says tae me, 'A job, that's great, ye couldnae gies a tap could ye? Just a couple eh quid, eh?'

Ah gave him his tap an niver went back.

* * *

So up til now thirs been hardly ony mention eh the polis, apart fae Sergeant Alexander savin ma neck. That's aboot tae change. Thir wis ayeweys plenty polis activity roond oor hoose.

Lookin back though ah realise the polis wir hardly ever at oor door when ma da wis around but wance he wis history it wis open season oan the single maw an the Smart brothers. Mebbes they wir feart eh ma da but mair likely we just niver got intae sae much bother.

We stey in a wee village cried Ashlee an the nearest polis office is half a mile alang the road in Hollyburn. It's there coz Hollyburn is bigger an mair hoodlums stey there. Thirs no that muny polis there mind. The main man wis Sergeant Alexander plus sum flunkies that pop in an oot eh the station like the punters gaun in an oot Joker's bettin shop next door tae thum.

When we wir wee the polis hud panda cars that only hud two doors. The maist useless cars ever made. Even ma maw's car hus four doors.

Why am ah spoutin aw this rubbish ah bet yer askin? It important fur the next bit, that's why.

The Identification Parade

YE WIDNAE THINK the polis could be sae thick but the yins roond ma bit wir planks.

Mind you Sergeant Alexander wis aw right but every now an again they got others tae help. They came fae the polis college that, scarily fur us, is just through the wids fae Hollyburn.

'Wee laddies' ma maw cries thum, but they looked just as auld as she did as far as ah could see. The pair in this tale wir the pick eh the stupid bunch – no the fou shillin if ye ask me. At least we hud sum laughs wi thum afore they got huckled aff tae where the rejects go.

The best time wis when they tried tae fit a wheelbarra intae the back eh a two-door panda car.

Now, ye huv tae understaund, ah've hud a wheelbarra fur as long as ah can remember. Ah think ma maw bought me a toy yin when ah wis wee. A rid yin wi plastic wheels. Then ah sort eh fund yin doon the burn. It wisnae in the burn, it wis oan the path beside the burn just where auld Mister Crocket hud his compost heap. It wis just sort eh sittin there lookin lost, so ah relieved it eh its boredom an took it hame. Ah must huv been aboot six year auld. Ma maw an Da believed me when ah said ah just fund it coz, well, ah just did.

It wis great tae huv ma ain wheelbarra, the stert eh ma first enterprise. Ah borrowed a shovel an rake fae Granda Joe an went roond the doors askin auld wifies if they wantit thir gairdens done. Course they just let me dae a wee bit, gave me sum money, then chased me, coz ah wis pretty shite at gairdinin. Word got roond that ah pou'd oot aw Mrs Mcgruther's newly plantit cabbages. Ah thought they wir weeds. How wis ah tae ken?

It wis better in wintertime. Ah'd fill up ma barra wi that grit stuff oot the cooncil boxes an gan roond tae the really, really auld wifies an shovel clear thir paths an scatter the grit. Ah made a killin oan that enterprise.

Now that first barra hud a hole in it. Ah think that must huv been why it wis abandoned. It rustit an crumbled an wis pretty much useless by the time guy-fox night came along. Ah clearly hud tae git anither barra.

The next wan, ah seem tae remember, came doon tae me fae Granda Joe. He reckoned ah hud aw the rest eh his tools ah might as well huv the lot. This wan wis big an painted in 'that' green colour. That's how ah managed tae git it past Maw coz she wis certain this time it wisnae nicked.

The problem wis it wis a brute. It shoogled aboot aw ower the shop an sumtimes hit parked cars as ah wis hurlin it doon the brae. One time Mr McGeever hud a right go at ma maw, sayin ah hud scratched his car deliberately.

Oh no, wait a meenit, that wisnae the wheelbarra, that wis stanes me an Sam wir throwin at passin cars fae ahint ma granny an papa's waa, while they wir busy drinkin hamemade wine an haein a BBQ. Granny Annie wis black afrontit when Mr McGeever came intae the gairdin an caught thum drinkin. Ma granny an papa live in the new hooses an go tae the chapel so nuff said.

Efter his tea ma papa went tae see Mr McGeever an ah dinnae ken whit he said but ma maw got aff the hook. But we wir niver allowed tae play oot in thir street again an the hamemade wine wis chucked doon the sink. Ah suppose this could huv been a wee story eh its ain, but that's aw thir wis tae that episode.

Granda Joe took that muckle barra back an gied it tae Wullie three doors doon.

The next wan wis fae Tod's shed. He niver missed it, but so ma maw didnae suspect it wis liftit ah punched a wee hole in it. She thought it wis the auld yin. She niver could keep a track oan ma barras.

'What aboot the polis?' Ah bet yer thinkin. Ah'm comin tae that.

No long efter this ah saw a really braw shiny barra left doon the park by the workies.

The workies hud aw packed up an couldnae fund thir barra coz sumhow it hud ended up in the gravie ahint sum grave-stanes. When they went hame it got itsel back doon tae the hut. So ah took it hame an pit it in ma shed.

The next day Tilly the dug stertit mental barkin an then the polis chapped the door. Maw wis fed up eh the polis at the door coz oor Sam hud gone a bit aff the rails now he wis man eh the hoose.

Ah wis up in ma box room. The windae wis just above the front porch so ah heard every word.

'What's he done now?' Sumtimes ma maw soondit dead tired. She hud these black circles under her een.

'No Sam this time Mrs Smart. We have reason to believe Gavin has stolen a wheelbarrow from Mr Chambers' workers.'

'Oh no, I don't think that's right. Gavin has a wheelbarrow, why would he steal one?'

'So you know he has a wheelbarrow?' They pit oan that tryin tae trip her up voice. She didnae faa fur that.

'Yes, officer,' she pit oan her posh voice. 'He's had it for ages. It has a hole in it. No good to anyone.'

'Can we see Gavin's wheelbarrow?'

Oh no!

'If you like, but tell me, is this all you have to do with your time?' Go get thum Maw! 'I heard there was a break in up the street last night and yet two police officers and a car are sent about a barrow.'

Ah couldnae see thir faces but ah bet they wir beamin.

'We've had a complaint and we have to act on it. Gavin is hardly a saint.'

'True,' Maw says, 'but you don't have to blame every crime in Fife on him.' Maw got a bit mair lippy wance she got rid eh ma da an got a decent office job.

The younger polis stepped back an looked up at ma windae so ah hud tae juke back in.

'So, can we see it?' he says.

She took thum up the close tae the shed. Ah ran doon the stairs an loitered at the back door. She pou'd the barra oot the shed.

'Oh.' Ah heard her say. 'That's weird.'

Ye want tae huv seem the polis' faces. Pure smug. Ah wantit tae punch thum.

'We will need to take this and ask the owner...'

'My son is the owner,' she says quick as a flash.

'The person who claims it was stolen. We need to ask him to identify it.'

Maw sighed big an dramatic. The barra squeaked up the close, Maw pushin, the polis ahint. Me creepin at the back.

Ah couldnae believe they wir takin it. The young yin hud a notebook oot, wee an tatty, wrapped roond wi a durty elastic band. He stertit writin wi the weeist pencil stub ah've ever seen. Ah could imagine it.

Suspect – white, cock-ay-shun, height; four feet ten. Stolen barra.

Who the hell cared aboot a stupit barra? Ah wondered whit prison wid be like. Did they huv telly, ah hoped the food wid be guid.

Ah keeked roond the corner. Maw wis lookin at the close entrance. She kent ah wis there. She'd leather me fur this wan.

The polis opened the boot eh thir panda.

'That won't fit,' Maw says.

They ignored her an tried tae pit it in onywey. It didnae fit. They tried it this wey an that. At wan point Maw tried tae help but they nipped. 'We know what we're doing.'

'Suit yersel,' she says, clearly fed up wi the hale palaver.

They took it oot the boot, pit the front seat forat an tried tae wedge it in the back seat. Talk aboot a square peg in a roond hole.

'That'll no work.' Her face wis straight but she kept lookin ower at the close an ah could see she wis secretly pissin hersel laughin.

Eventually Maw pit thum oot their misery. 'Tell you what,' she says. 'Why don't I lock it in my garage?' She pointit tae the lock-up across the road. It wis supposed tae be fur her car but she wis too lazy tae park it there, it wis just fou eh junk.

'I'm the only one with the key. You can bring your man back tomorrow to have your wheelbarrow identification parade.'

They looked at each other, at Maw, then at the barra, wedged half in, half oot the panda door.

'OK,' the young one says. 'But we'll be back tomorrow.'

So Maw made a big show eh lockin the barra in the lock-up an puttin the key in her pocket.

Ah didnae ken whit happened next coz ah skedaddled, but ah could hear her bawlin 'Gavin Smart, get in here.' But she only did it once coz she kent ah wis dust an she'd no want the neighbours talkin ony mair than they awready wid be.

Sam came doon tae the gravie efter dark tae look fur me an by the time ah got dragged hame Maw'd hud enough eh wheel-barras. She wis ironin oor skill shirts an her studyin books wir laid oot oan the table.

'Ah'm no gonnae ask you whit happened tae the wheelbarrow wi the hole in it but you better huv a good explanation ready for when they come back tomorrow.'

The next day Maw forgot the polis wir bringin the man back. She wis too busy wading intae Sam when she got hame fae work tae bother aboot me. He'd skived skill fur too muny days an she got called away fae work tae go tae the skill tae answer fur his absence.

The polis arrived wi thir man just as *Coronation Street* wis stertin. Deliberate.

The man hud oan a growly face until Maw held oot her haund fur him tae shake an he looked a bit flummoxed. Ah'm up in ma box room, windae open, grandstand view.

They aw trooped ower tae the lock-up. Maw took the key oot her pocket. 'No one has touched it,' she says like a magician.

She liftit the door an pushed the wheelbarra oot while glow-erin up at ma windae.

'This isn't my barrow,' ah heard the man say. 'This barrow has a hole in it.' He looked at the polis. 'What is wrong with you? Why would I report such a wreck as this?'

The polis looked at the barra then at Maw.

'This isn't the barrow you locked up.'

Maw stood as tall as her five fit nuthin could. 'I locked a wheelbarrow in there last night. You saw me lock it. I've never let this key leave my possession since. So it must be the same one.'

The man wis aw growly again. 'Take me back home, you're wasting my time.'

The polis turned tae Maw.

'Sorry,' she says.

The man hud a bit eh trouble getting intae the back seat eh the panda just like the barra. Then they wir away.

Maw came in an sat doon beside me.

'How?' she says.

'See they cooncil garages,' ah says. 'Thir locks are shite.'

She cloutit me ower the heid wi the back eh her haund. 'You watch your language. And take that good barrow back where you "found" it tonight.'

*   *   *

Writin aw this doon is weird. Sumtimes ah remember stuff ah thought ah hud forgotten. Like aboot oor den in the gravie.

This is the village graveyaird. It surroonds an ancient tumbled doon church that hus nae roof an hardly ony waas. The graves ur aw coggled ower. Sum huv skulls an cross bones oan thum that pure freak ye oot, ye cannae even read the writin oan the stanes an neabudy gets buried there now so we huv the run eh the place. The hale site is hemmed in wi a waa made eh mossy boulders an trees in the park hing ower it makin a braw canopy. This is where oor den is; where we gan tae hide, an smoke an drink oor Mad Dog in peace. The trees are that thick ye can sit braw an dry even when its blouterin doon. Awbudy kens aboot the den in the gravie, even Maw, coz she telt us she used tae hing oot there when she wis oor age. Hard tae believe ah ken but there ye go.

Ah've also remembered the real reason Maw niver used the lock-up fur her car. The lock-up wis the last, at the far end eh a row eh four. An it wis a tight cut tae get the car in. Wan day she came hame, music blarin oot her car as usual. She takes the cut too short. Ah'm oot the front doorstep washin ma bike. Ah heard this tearin, screechin soond. The car door wis draggin along the edge eh the garage. She cannae hear that soond nor me shoutin ower the music. Ah ran ower just as she stops. She saw me in her mirror an ah saw her wabbit face, she stertit tae reverse an ma teeth tingled at the soond eh the door gettin a second doin. Whit a fuckin mess. An she niver used the lock-up as a garage again.

Ah felt a bit sorry fur her. She'd only just got the car, a two litre Toyota Corolla much bigger than the heap she hud afore.

By this time ye must be wonderin where aw this is gaun. Ah suppose ah'm spinnin it oot coz ah dinnae want tae get tae the bad bits. (Ah ken, ah ken, bear wi me.)

Ah wis gaun tae write mair aboot ma accident but tae be honest when ah think aboot it ah still come oot in big sweats. Ah've been huvin nightmares an aw. Post-traumatic stress ma consultant cried it so ah better lay aff the now, mebbes efter Alan the physio hus been tae see me.

Then ah wis gonnae write aboot the day Maw left ma da. Ah'd fair wound masel up fur it but ye see, Granny Annie hus just been in wi sum eh her hamemade meat roll an the meat roll remindit me eh the first holidays ma maw took us just efter 'that' day.

Butlins

WE WIR BIDIN at Granny an Papa's. The hoose smelt foosty – still does. Ah hud tae gan tae the skill wi foosty smellin claes. It wis nearly as bad as that time Maw hud the bright idea that rubbin stinkin evening primrose oil oan ma belly wid calm me doon an sort ma 'behavioural' problems. But that's anither story.

Back tae steyin at Granny an Papa's. If we hatit it, they hatit it mair. Papa's face wis permanently rid, especially the nights Maw went tae night skill an they hud fou responsibility fur us. The first week efter that leavin day ah ran away. Niver went back fur ma dinner. Papa came tae Hollyburn an asked the polis tae help fund me. Ah wis doon the back wids wi Geordie Munion's gang, ah wis that desperate. The polis fund me an haundit me ower tae Papa. He slammed the car door an niver spoke tae me aw the wey hame. Later oan ah heard him gaun oan tae Maw.

'You'll have to give up the college.'

'Ah can't, don't make me. It'll work out. Ma boss wants me tae go an it's for the boys too, tae give them a better life.'

'You'll have to give us a break then. We can't cope, especially with Gavin, he's wild.'

Oh aye, it wis ayeweys ma fault. Oor Sam wis their golden

boy, but they didnae ken the half eh it wi him. At lease ah wis up front mental.

Onywey, fur Easter, tae gie thum a brek an tae stop Papa chuckin us oot, Maw took us tae Haggerston Castle. Now roond oor bit we aw ken whit Haggerston is, but no awbudy dis. It's a great big bloody caravan park, wi arcades an bikes ye can ride an a pond an fish an chips.

On the wey doon she took us fur a pub lunch as a treat. We'd niver hud one eh thum since the redundancy money disappeared. Ah cannae mind who stertit it but me an Sam ended up in a food fight. Maw begged us tae behave but when we ignored her she got up peyed the bill an split. The waitress shoo'd us oot an we fund Maw sittin in her car starin intae space.

'Do you know how much that cost an it ended on the floor?' she says. 'Is this how it's gaun tae be? Ah cannae believe you two. What a bloody waste of money.'

She wis ayeweys gaun oan aboot money.

But she wisnae jokin coz she didnae huv much mair money fur the rest eh the holiday an we ended up havin tae eat Granny's meat loaf, cheese toasties (coz Maw hud brought Granny's toastie maker) an super noodles. So when aw the other kids wir gaun up tae the clubhoose fur great scran we hud this muck.

But the caravan wis amazin, bigger than oor hoose almost. Sam an me hud a bedroom each. Oor ain pocket money sin run oot in the arcades an the pedal bikes so we got a bit bored an resortit tae playin knockout whist wi Maw. Sam ayeweys won. Cheat!

But it wis great tae get away fae Papa's moanin face.

By the summer we wir back in oor ain hoose an Maw took us fur a big holiday tae Butlins in Ayr – all inclusive.

We hud this tottie wee chalet that wis even foostier than

Granny an Papa's hoose, if that wis possible. When we arrived at the place Maw telt us tae go oot an explore.

'You come wi us?'

'Ah've got the unpackin to do, maybe later.'

Ootside thir wis a fairground wi a big dipper, but thir wis nae wey ah wis gaun oan that, an arcades an a big long beach an a train that wis pou'd by a tractor that went roond an roond the hale site. That wis ma favourite. We hud niver been in such a huge place, it wis a hunner times bigger than Haggerston.

'Don't go wanderin off,' Sam says tae me as if ah wis a bairn.

'Nae fear, let's try the tractor.'

'Don't be soft, that's for kids.'

But ah wisnae carin, it wis great fun an ah even managed tae bags the front seat so ah niver got off fur ages.

Oan the second time roond, when ah passed the Spar shop, ah spied oor Sam haein a fag wi anither couple eh lads so ah got aff.

'We should go an see Maw,' ah says.

'You go, ah'm busy.'

So ah go but thirs rows an rows eh these wee chalets an ah've nae idea whit yin's oors. Then ah noticed Maw's Morris Ital, a wreck eh a car wi its bent coat hanger aerial an half up half doon windae. Even though the windae wis ayeweys open naebudy stole the car. But it wis parked beside others, so ah just sat oan the gress by the car. The gress wis a wee bit damp fae the earlier rain but that hud stopped an the sun wis beatin doon a treat. At last a door opened an Maw's wee white worried face peeped oot, but it split intae a smile when she saw me.

'Where's Sam? It's time we went for dinner.'

'Up at the Spar.'

'Come on then, we'll swing by there and get him on the way.'

But Sam wis awready at the dinner hall coz his new pals wir way ahead but he hud tae wait fur Maw coz she hud the chitty.

Inside wis like the skill dinner hall except a hunner times bigger. Aw these big folk wir queuin wi trays. The noise wis immense, clatterin an chatterin an laughin an bawlin.

Maw telt us tae go tae sit at table 118. She pointit tae a long table in the middle eh the room.

'But thirs folk awready at that table,' Sam says.

'Ah know, we have tae share with other families.'

'But we dinnae ken thum,' ah points oot.

'You'll soon get tae know them. We have the same table the whole week.'

Sam wis glowerin at his feet.

'What do you want tae eat? Ah'll get it an bring it over.' But we waitit oan her. Ah cannae remember whit we hud tae eat. It wis aw right but no as guid as Maw's food. Salty an slushy ah seem tae remember but at least ye got a decent ladle eh chips oot this massive vat.

Maw led us tae table 118 where a man, a wuman an two lassies wi pigtails grinned at us. Thir wis a laddie an aw wi a bubbly nose shovellin tatties intae his mooth but ah tried no tae look at him. Gross.

'Kenny and Jean,' the man telt us.

'Oh we wondered who we would get. Three is an awkward number to fill,' the wifie says.

They hud these weird accents like tryin tae talk posh an not quite pou'n it aff.

Maw caught oan an stertit tae dae it an aw.

'Oh yes,' she says. 'Just the three of us. I'm separated.'

Kenny an Jean's faces filled wi sadness mixed wi pure smug. Ah wantit tae punch thum.

But as if Maw read ma thought, she says, 'We're great, just the three of us, eh boys.' Her voice back tae normal.

'Aye,' we mumbled an gets wired intae oor scran.

Oan the wey back tae the chalet Maw slipped intae the Spar. Bought hersel a bottle eh red wine, Irn Bru fur us an a bucket eh butter popcorn fur us aw.

That first night we aw went back an watched *Coronation Street* stuffin oor faces wi popcorn while Maw did her knittin an sumhow it felt braw.

The next mornin we refused tae get oot eh bed fur brekfast so Maw went hirsel but brought us baith back a bacon roll. It wis braw haein brekfast in bed so we refused every mornin an she brought us rolls every mornin, like we kent she wid, coz she'd think it a waste eh money fur us tae miss oot.

The sun shone the hale week. Durin the day we went tae the beach, sumtimes we lost Maw an wid search fur oors then fund her hidden in a wee sand dune oan her ain readin a book. At night, me an Sam went tae the arcades. Ah wis oan the look oot fur a rich man fur Maw but they wir aw mairried or fat or ugly.

Every night me an Sam tried tae get Maw tae come oot wi us.

'Thirs dancin an bingo an disco,' ah tried tae coax. Maw wis that braw when she wantit tae be. Then one night she gave in. She hud sum gaun oot claes wi her an me an Sam baith led her intae the clubhoose an showed her whit wis whit. Ah even got up an gied her a wee dance. She wis laughin an happy, but naebudy asked her tae dance an the next night she went back tae her red wine an knittin. An as far as ah can remember fur wance me an Sam did whit we wir telt.

* * *

Of course that didnae last. Ah stertit tae make a list eh aw the times me an oor Sam got intae bother but ah ran oot eh space oan the page so a gied up.

Even when ma da wis at hame we got intae sum bother. Ah think it wis coz we steyed in the cooncil hooses an maist eh the other folk at oor skill steyed in the new hooses up by Granny an Papa's. Bother wis expected eh us.

Wance efter ma da got his new car he took me an Sam fishin. Maw came an aw. Efter we caught nuthin he took us fur a high tea, fish an chips an loads eh cakes. When we got hame the polis wir waitin fur us. Mrs Hardie fae across the burn swore blind ah'd broken aw the windaes in her oot hoose that efternin. Said she saw me, but we hud a braw alibi so the polis left.

If we did get intae bother Da wid sumhow sort it oot or ignore the hale thing by sayin he hud enough tae worry aboot haein tae gan doon the pit.

Ah suppose we needed discipline an Maw wis left wi that task. But she wid ground us fur sumthin like pou'n oot auld Mrs Hunter's tulips then Da wid come hame fae the pub wi crisps an let us oot, tellin Maw we wir just laddies an needit tae let aff steam.

'They need consistency,' she'd say an he'd screw up his een at her an tell her tae get a grip, that she wis overreactin. An then the next thing he'd come hame, see ma skill bag chucked doon in the porch, belt me an send me tae ma room wi nae tea – that sort eh consistency. But Maw ayeweys brought me sum scran wance he went tae the pub.

Before Now

BEFORE AH GAN further wi ma tales ah'll tell ye a wee bit aboot when ah wis in the hospital. So ah'm in this white room, oan ma ain. Ah open ma een an sees this lassie standin aside me. She hus a haund oan ma shooder.

'Oh, you're awake Gavin,' she says. Ah stert tae struggle tae get up but she hauds me doon.

'You've had an operation. To fix your leg.'

'What time is it?' Ma throat wis aw raspy an ma mooth sair.

'It's eight thirty in the evening.'

'How can that be?'

'You've been asleep. Under anaesthetic.'

Ah thought aboot that fur a meenit an tried tae remember. 'They gave me a jag.'

'The ambulance crew gave you something for the pain. They were worried about a back injury. You've been asleep since.'

But it wisnae like sleepin, it wis just a nothinness, like a hale chunk eh ma life disappeared. Weird.

Faa'n aff scaffoldin didnae half mess up ma leg. Ah've broke ma femur, that's the thigh bone tae maist folk. Ah hud an operation an huv this great bloody cast oan ma leg fae hip tae toe. Ah could just aboot see ma toes wigglin at the bottom eh ma bed.

'Your family are waiting to see you. I'll let them in. Just for a minute.'

Granny Maureen came bustlin in, Joe's ahint her lookin like sumbudy stole his pint. An oor Sam hingin back as usual.

'Aw son, how ur ye?'

'No bad Gran,' ah lie.

'We've been that worried aboot ye.'

Granda came up tae the bed, he couldnae look at ma leg. 'Ah'm that vexed son, ah didnae mean ye tae get hurt.'

'Aye well it'll be the last time ye go near him Joe, yer a pure liability,' Granny says. 'Ah'm ayeweys tellin ye that.'

'Haud yer wheesht wuman, ah said ah wis sorry.'

'Did ye see that nurse? She's a belter.' Oor Sam's just aboot dribblin fur it.

'Aye, ah think ah'm gonnae like it here.'

Just at that the wee lassie comes back. 'You'll need to leave now, I'm afraid Gavin has had a major operation. He needs to rest. Come back tomorrow at visiting time.'

'Dis ma maw ken?'

Granny bristled. Sam says, 'Aye, ah phoned her work in Glesgae. She's oan her wey back.'

Maw came in the next day. She looked shattered.

'Aw Gavin, what happened? Sam said you fell off the scaffolding.'

'Aye, we wir takin it doon.'

'You should never have gone near it. When will you learn?'

'Fucksake Maw, dinnae stert oan me the minute ye git here.'

She plonked hersel oan the seat. 'Aw ah'm sorry. Ah've been that worried.'

'Aye well, ah'll be aw right. Ah can get oot in a couple eh days if thirs sumbudy tae look efter me.'

She bit her thumb nail. 'Ah can't take any more time off. We're right in the middle of a big project and ah've already had too much time off this year.'

'Maw, ah cannae bide oan ma ain.'

'You can stay at your granny's. She'd love tae have you.'

Before ah wis allowed tae Granny's sumbudy cried an O-tee wis sent tae set up the bed wi a monkey bar an a frame tae fit roond the toilet so's ah could manage masel.

Ah niver got tae ken the ins an oots eh that conversation atween ma maw an Granny Annie but the upshot wis an ambulance brought me tae Auld Annie's hoose an the hale week that Maw steyed wi us Granny niver spoke tae her.

Mother Stands for Comfort

MAW AYEWEYS THREATHENED us wi the polis an a couple ae times she went through wi the threat. Said it wis fur oor ain guid – that's anither story but kind eh contradicts what happens in this yin. But as ah've said, consistency didnae really work in oor world.

Ah reckon it wis Beans that stertit it. He wis the big man eh the village. Maw hated him coz oor Sam thought Beans wis king an wid huv eaten dog shit if Beans hud telt him tae. It wis Beans that first got Sam intae trouble wi the polis, showed him how tae shop lift oot eh the Spar. Ma da wis still around then an Sam wis just wee so got aff wi a warnin. Come tae think oan it Maw hated the hale Beans faimily. But the mair she telt us tae stey away fae thum the mair we went.

This time, the time Maw saved us, there wis a load eh us involved: me, Sam, Chuddy, Stash. Even Eva wis there, she's Chuddy's wee sister an followed him like a wee winter shadow.

The workies hud been set up in the playpark fur two weeks, tarrin paths, scalpin the hill, stakin a fence along the burn edge. This last yin wis particularly harsh, nae mair easy troot guddlin fur us but a wee lassie hud faa'n in an droont in the next village, so ah suppose it hud tae be done.

Every day two cooncil guys came in thir wrecky van an parked at the graveyaird. Then they'd humph aw thir stuff through the park tae stert. Efter skill we'd sit oan the gravie waa an watch thum humph aw the stuff back up – sumtimes we'd help. Then wan day a tin hut appears an mair workies arrived. We asked if we could huv a cup eh tea an they says 'aye.'

Inside, the hut hud aw manner eh stuff fur fixin roads an they hud this big can eh petrol that tops up thir tar machine an a burner an it wis rare tae watch thum.

Every night we came hame an Maw gans radge at us coz oor skill claes huv tar oan thum an she cannae get us ony mair coz she awready used up aw her cooncil claes coupons at the beginin eh term.

Onywey, wan weekend the workies shut up shop an Beans thought it'd be a guid idea fur us tae brek intae the shed. We wir gettin fed up eh playin Commandos up in the gravie. Also we wir worried the Hollyburn boys wid come along an claim us. Sumbudy hud grassed at the skill aboot the workies' hut an word wis oot that Geordie Munion an his boys wir plannin oan takin possession. Beans reckoned we hud tae take it first.

Ah hud awready pauchled a wheelbarra that they'd forgot tae pack away but ah wisnae tellin aboot that. Thir wis loads eh other loot.

'Ah'll tell ye whit,' Beans says oan Sunday mornin. 'We'll meet doon the burn at four o'clock when the pub's shut an aw oor das ur sleepin an oor maws ur makin the dinner.'

Chuddy an Eva wir tae keep a look oot but Chuddy wis makin that much noise whistlin at the wuman in the gairdin next tae the gravie we sent Stash tae keep look oot insteid.

It wis a braw day an thir wis wee kids playin oan the only two swings left up fur the time bein. Beans telt thum tae fuck off an when they said no he chased thum wi a knife he hud. They didnae hing aboot long efter that. Soon the park wis oors. The village wis quiet. We crept up tae the hut. Stash signalled 'aw clear.'

Beans hud telt us tae bring rags fae oor hooses an we aw hud at least wan. Sam wis actin the big man an telt me tae keep back. He hud a crow bar, stuck it under the door clasp an popped it like a cap aff a bottle eh coke. Ma hert wis pure thumpin. Ah wis shair the polis wid turn up.

We aw went in.

'Shut the door ahint ye,' Beans says.

The picks an shovels wir aw tidied an in the corner sat the drum an the tar machine.

'Let's make a den here,' ah says. 'It's a rare den.'

Sam stertit sniggerin, 'Dinnae be daft.'

Beans wis at the drum. 'Gie us yer rags.'

'Whit fur?' ah asks.

Sam punched me oan the airm. 'Just gie thum.'

So ah did an so did Chuddy an he wis pure gigglin coz even he'd worked oot what wis gaun oan.

Beans stuffed the rags through the wee hole in the top eh the drum an pou'd thum oot drippin an stinkin eh petrol. Chuddy stertit barkin like a dug.

'Get the fuck oot eh here,' Beans shoutit at him an kicked him in the baws. Chuddy howled, backin oot the door sayin he wis away tae git his da, then disappeared, Eva followin. But we aw kent his da widnae be compus mentus until at least teatime.

'Get a move oan,' Beans snarled at Sam.

They baith dragged the rags along the grund, an oot the door, then laid thum edge tae edge until aw the rags made a line aboot six feet leadin fae the hut intae the park.

Beans telt me tae run then sparked the last rag an hurled it oantae the others. It caught wi a whoosh an stertit tae eat the trail tae the hut. Ah wis halfwey tae the bridge when BOOM! The hut gans up an bits eh it pattered aw ower the park like tinfoil rain.

Me an Sam dived up the lane an ur in oor close afore we heard the fire engine.

We rattled through the back door. Maw wis in the kitchen an stared at us as if she'd been expectin sumthin else. She must huv heard it, we only live in the next street fae the park. But she didnae ask. She just says, 'Shoes off. In the bath, both of you, quick! Leave your clothes outside the bathroom door.' For wance we baith dae whit she telt us. Now ah wis in the hoose ah wis shittin bricks.

By the time the polis chapped the door we're twa sparkly clean wee boys eatin oor tea an watchin *Antiques Roadshow* in oor jammies an baffies, the washin machine sloshin in the kitchen.

The polis asked if we'd been in the park an Maw says no, we'd been helpin her in the gairdin aw efternin. This wis the first an last lie ah ever hear come oot Maw's mooth.

Ah niver did fund oot whit happened tae oor shoes.

* * *

Maw came tae see me last night. She brought a laptop computer an a practice disc fur the drivin theory test. The computer's tottie.

'It's ma work computer,' she says. 'Ah'm on holiday for the next week so ah can see you every day.' She bit her lip. 'Ah'm not really supposed to let anybody use this but you'll look after it, won't you?'

She liftit up ma notebook an ah snatched it back. 'How are you getting on with your stories?'

'Fine,' ah says an ah flicked through the pages aw filled oot wi ma scribbles just tae prove it.

'Aw, that's great Gavin. Keep going. Ah'll bring you another notebook tomorrow. And don't give up now ah've given you the disc.'

She sat oan ma bed an gied ma cast a wee pat.

'How are ye?' She hud her wee worried face oan.

'Aw right, it feels a bit weird, like ma leg's no really part eh me. Ah've got exercises tae dae.'

'Oh Gavin, you're not supposed to move much.'

'Haud yer jets Maw, thir things cried visualisation. Ah dinnae move, ah just imagine ah'm movin. It's a bit mental but Alan, the physio, says it works.'

'Visualisation, we do that in my management training course.'

'Management eh. Ye'll no be talkin tae us next,' ah says, sarcastic like, shuttin her doon.

'Keep practicing the theory,' she says aw business like, but ah saw she wis miffed at me.

The disc is magic. Ah think it's just like the real test but no fur real if ye ken whit ah mean.

So ah suppose ah could stop here wi ma story but thirs mair tae tell. An onywey, ah'm no gaun onywhere soon. Alan, the physio, is comin tae visit me the morn tae help me wi mair exercises. He's no really supposed tae but he says he wants tae help me get stertit oan ma rehabilitation.

Ma notebook's fair fillin up but ah've just minded eh wan character ah just cannae leave oot.

Geordie Munion

A COUPLE EH weeks efter the workies' hut blew up aw eh us got claimed by the Hollyburn crew led by Geordie Munion.

Christ, even writin that name gies me a shiver doon ma legs (baith legs). Back then he wis a hoodlum, now he's an out an out gangster. An he's still oot there sumwhere.

He's only 4ft 10, wee-er than Maw an same size wide as tall. He's got this wee screwed up face like he's pissed hissel an only realises when his cauld breeks stick tae his erse.

He's pure evil, ayeweys hus been, ayeweys will be.

Even the polis ur scared eh um.

They say he ate a hamster wance efter that crap comedian did it but ah'm no believin ony eh they stories.

Onywey. Word eh the workies' hut spread roond the skill like flu. Geordie Munion of course didnae attend the skill an even if he did he wudnae huv even got as far as ma stream, but his henchman Big Bertha did an sumtimes came intae reggie.

They cried him Big Bertha coz he hud boobs bigger than Maggie McCauley, the local bike.

So, Bertha came up tae me an Chuddy at brek an says, 'Geordie Munion wants a meetin wi you pair.'

'A meetin,' ah says, tryin tae look calm an no rub ma sweaty palms oan ma troosers. 'Whit's this, parent teacher or sumthin?'

'Dinnae you get lippy wi me. He wants a meetin aboot the workies' hut.'

Even though ah'd hud dealins wi Bertha afore, ah kent ah could clobber him if push came tae shove but Geordie Munion wis anither matter. Ah'd ayeweys managed tae keep ootside his radar but now here he wis summonin me. Ah'd mebbe no get oot alive.

'Tell him it wisnae me.'

'Naw, you tell him yersel.'

'Whit ye gonnae dae Gav,' Chuddy chattered in ma ear as Bertha strode towards the gate headin fur the chip shop.

'Ah'll mebbes git ma da, or oor Sam.'

But Bertha heard me, burled roond an swings back. 'Aye? Ah forgot, Geordie says your Sam's tae come an aw.'

That should huv made me feel a bit better but it didnae. Sam wis shit scared eh Geordie Munion an aw.

'Tell Geordie tae take this up wi Beans,' ah says.

Bertha swung his big airm an grabbed me by the collar, scratchin ma neck wi his filthy nails. As ah'm chokin ah couldnae stop thinkin ah might get lock jaw if ah'm no careful like that bloke aff the telly fae years ago.

'Beans says you an yer brere did it.'

Cheatin bastard.

'OK, tell Geordie ah'll meet him at the gravie.'

'Naw, ye've tae come tae Hollyburn, six o'clock.'

'Neutral ground then, the pipe across the burn.' Fuck, whit did ah say that fur? Thirs a story gaun roond that Geordie Munion wis responsible fur that wee lassie faa'n in the burn. Him an his pals made her walk the pipe even though the waters wir ragin. She wis halfwey ower when they sterts flingin boulders at her an she faas in an got cairied away until the fence grid caught her but by then it wis too late. She wis deid by the time they unhooked her. They say when he heard Geordie Munion just clutched his big fat belly an laughed.

Sam wis oan the bus afore me an didnae look at me the hale wey hame but when we got aff he wis waitin fur me. He'd heard.

'We could run away,' says ah.

'Dinnae be daft.'

'But Geordie Munion'll kill us.'

'No, he'll no.'

'How dae ye ken? Whit's gaun tae stop him. Should we mebbes go tae the polis?'

'Oh aye, Einstein. "Scuse me Sergeant Alexander but Geordie Munion's gaun tae kill us coz we blew up the workies' hut afore he hud a chance tae rob it." Aye an that'll work.'

'Aye, ah suppose, but what then?'

'We dinnae go.'

'Now you're bein soft. They'll cry us cowards, Sam.'

Sam walked tae the hoose. When he got tae the front door he pou'd oot a fag an lights up right in front eh Cru-ella whose workin in her wee bit gairdin. Postage stamps ma Papa cried oor gairdens but Maw hus it braw.

'Put that out,' she says in her posh Sunday voice.

'No way, this is ma last yin,' says Sam. He unlocked the door an walked in still smokin. He turned roond still smokin, grinned an noddit his heid fae me tae Cru-ella. 'Goan,' his look says. Then he flicked the dout intae her gairdin. Ahh, then ah got it. An ah didnae need tae be telt twice coz ah love tae wind her up.

'Mind yer ain fuckin business ya auld bitch,' says ah.

'Don't you dare, Gavin Smart. Just you wait till your poor mother gets hame.'

'Aye, ah bet ye cannae wait tae make her life mair miserable than livin next tae you.'

Sam lit up anither fag in the hoose (it wisnae his last). An made a right mess eh the bathroom just tae make shair.

Ah peeked fae ma box room windae as Cru-ella cornered Maw the meenit she stepped oot her car.

'Blah, blah, blah,' pointin tae the hoose, pointin tae her gairdin. Maw wis aw cool wi Cru-ella, she brushed past her, but paused an looked up at the windae, her shooders slumped. Ah joined Tilly at the tap eh the stairs an waitit. Oor Sam wis calmly watchin *John Craven's Newsround*.

'SMOKIN, SMOKIN. In ma hoose and in the street.' Her posh work voice slipped earlier than usual. 'Get tae yer room Sam, you're grounded. GAVIN, get down here.'

Ah passed Sam oan the stairs an he ignored me.

She skelped me across the lug afore ah even got tae the bottom step.

'Cheekin Ella like that. How many times dae ye need tae be telt? Grounded.' She says pointin tae the stairs. She hudnae even seen the bathroom. Ah crept up the stairs haudin oan tae ma burnin ear.

'And don't even think about sneakin oot yer windae. If you do ah'm phonin the polis and tellin then about the workies' hut.'

'Dinnae worry, ah'm no gaun onywhere.'

We baith get haundit sum burgers an chips intae oor room. She might be ragin but she widnae let us sterve.

Chuddy chapped me efter tea an ah heard Maw tell him we wir baith grounded.

'Aw come oan, Lily, they've got a meetin wi Geordie Munion. He'll kill them if they dinnae show.'

'Well you tell this Geordie Munion, ah'll kill them if they go.'

Ah heard Chuddy gasp. 'It's no a joke Lily. He'll honestly kill them.'

'Who is this Geordie Munion?'

'Ye dinnae ken?'

'No, and ah don't care who he is. You go and tell him they're grounded and if he has a problem he can come and see me.'

NO! Oh Maw whit huv ye done. This wisnae part eh the plan.

It's half past five, ah settled doon tae watch *CHiPs* oan ma wee black an white. It's a bit fuzzy but better since ah rigged the aerial tae the drainpipe ootside ma windae.

Ah almost forgot, then at half six ah heard a commotion in the street. It sounded like Chuddy bawlin. Either laughin or greetin, it wis ayeways hard tae tell wi him. Ah looked oot an see Geordie Munion an Big Bertha galumphin up the street.

Ah rattled doon the stairs.

'Dinnae open the door,' ah says tae Maw.

'What? Why not.' She pit her knittin doon an stared at me as if ah wis mad. Kate Bush howlin fae the stereo wis droond oot wi the bangin oan the door. Tilly the dug stertit barkin, jumpin up at the windae.

Ah dropped tae the carpet an crawled tae below the front windae. The dug stertit jumpin oan ma back, barkin her heid aff.

'It's Geordie Munion,' ah says.

Maw rolled her een, stepped ower me an looked oot the windae.

'It's a wee boy.'

'Maw,' ah hissed. 'Ye dinae unnerstaund.' The hammerin stertit again.

'Ah'm sick eh this racket.' She moved tae the inner door. Ah scrambled along the carpet, tried tae block her. Sam sat halfwey doon the stairs.

'Help me,' ah hissed. He just shrugged.

Maw shoved me an stepped ower me again. She opened the inner door an stepped intae the porch, closin the inner door ahint her tae stop Tilly escapin.

Ah heard her open the front door an say, 'Stop that bangin. What do you want little boy?' Jesus Maw!

'Gav an Sam huv an appointment wi me.'

'They're grounded.'

'Says who?' Geordie Munion growls.

'I beg your pardon.'

Through the bottom half eh the windae ah saw Geordie Munion's ragin face, his wee vicious fists balled up.

Maw didnae ken aw the folks in the Aucheneden area wir terrified eh him. Even Cru-ella's steyed inside fur wance. Maw didnae ken aboot how he set his granny's hoose oan fire just coz she burnt his toast. Now she's in an auld folk's home.

'Ah want tae see them.' He took a step tae walk in the hoose. Maw pit her haund up an laid it oan his chest tae stop him. Did she push him? Fuck, we wir aw deid. She touched him.

'Look, you wee toerag. Ah dinnae ken whit you have tae say tae ma boys but if you don't leave this village in the next five seconds...'

'You'll what? Phone the polis,' he scoffed. 'Dae that an ah'll make yer life hell, missus.'

Maw stepped back. An ah thought 'That's it, we're cooked, just like his granny.' Then Maw moved forit again.

'Naw,' she says. 'Ah'll phone ma pal, big Wullie Harper.'

Oh my Goad! Maw kens big Wullie Harper. 'Little boys

don't scare me, now beat it.' She gave him one last shove an slammed the door in his face.

Inside she stood wi her back tae the door. We aw haud oor breath waitin fur an explosion, a fire bomb, a water cannon.

Maw liftit her haunds up an ah saw thum shakin.

'That is one scary wee boy.'

'But how dae ye ken big Wullie Harper?'

'Ah dinnae.'

* * *

Ma pal Boo came tae see me the night. He's only got a year till he finishes his apprenticeship in car mechanics an hud been hopin tae get a stert at Kwik Fit. But the night he wis aw wound up. He telt me whit he really wantit tae dae wis stert his ain business – a garage.

'How ye gonnae dae that?' ah asks.

'Ah've been daein homers at the weekend an ah shove aw that money straight intae the bank. Ah've got ower three thousand quid.'

'Aye?'

'Aye. Ah'll sin huv enough fur a van. Ah could stert wi a mobile unit then build up tae a rentit workshop.' He hus it aw figured oot.

'Dae ye think it'll happen then?'

He wis aw excitit an whit he says next got me thinkin an aw.

'Listen Gav,' he tapped his heid. 'If ye can imagine it ye can dae it.'

Ah kent this wis true coz eh aw the visualisation ah'd been daein oan ma leg exercises. An while ah've been stuck in this bed ah've hud loads eh time tae think. Ma life's been a bit chaotic up tae now. Sumthin hus tae change.

Mind how ah says ah'd niver hud an accident afore. This next story is aboot an accident waitin tae happen.

Skiin an stuff

NOW YOU MIGHT think that Maw soonds irresponsible. When wis aw the homework gettin done? Whit happened tae oor education? That sort eh thing.

The thing is, gie her her due. She did try. She made shair we got swimming lessons. She took us tae the tennis lessons the High School ran durin the Easter holidays. Sam went green bowlin fur a while an ah went tae drama but wance they asked me tae read fae a script that wis the end fur me.

When me an Sam wir at primary Maw tried tae git us tae dae homework. Oor Sam wis even quite guid, but as ye can probably tell, he niver really pushed the mark. Me oan the other hand wis ayeweys crap at skill. Ah think Maw hud high hopes fur us. Nae wey wir we gaun doon the pit like ma da. Her faimily wir better. Ma Uncle Tommy hud gone tae university. He lived in Finland an must huv hud a guid job coz his car wis massive – it even hud snow tyres. Ah mean, who the fuck hud snow tyres in Fife? But ah'll get tae that in a meenit.

By now ye ken ah'm shite at readin. Ah'm also shite at sums. Wance, efter Primary Three parent night Maw came hame (ma da niver went wi her, said she wis better talkin tae teachers than him). Onywey, she says the teacher telt her she'd gien up tryin tae teach me ma tables an wis gien me a calculator. Result, ah thought, but Maw looked worried.

'You've to get special classes.'

'Whit, like remedial?'

'Aye. It'll keep ye in line wi what's being taught. You'll no be the only one in the class.'

Fine ah kent. Chuddy hud bein gaun since Primary One. Actually once ah thought it through ah reckoned it'd be a guid laugh.

An that really wis the story eh ma skillin. Just wan big laugh.

So why ah'm ah gaun oan aboot this? Well, wance Maw acceptit that neither me nor Sam wir gaun tae be brain surgeons she eased aff the pedal a bit wi the homework. An sumtimes Maw let me stey aff the skill if she hud a day aff an aw.

Mind how ah said she liked tae gan hillwalkin. Well she wis in a club. An wan time they wir aw gaun tae this place cried Skye an Maw wantit me an Sam tae gan tae coz it wis fur a hale weekend an she couldnae leave us. But Sam point blank refused so he hud tae gan tae Granny Annie an Papa's but they wir fine wi that coz he wis thir golden boy an as far as they wir concerned ah wis the troublemaker.

So it wis just me an Maw. It wis great gaun up in the car. She hud an even better car this time coz she crashed the yin wi the scratched door when she barged oot in a temper when me an Sam wir scrappin ower a set eh speakers. She jumped in her car, screeches away an the next thing Papa brought her hame – nae car.

'She could huv been killed.' Papa says, his face pure rid ragin. Apparently she took a corner too fast an ended up in a fermer's field. But thir wisnae a scratch oan her even though the car wis written aff. Christ knows how she did it.

She kept me aff the skill oan the Friday coz it's a fair distance tae Skye. It wis a wee blue Escort she wis drivin an it hud a proper stereo that took tapes so we wir singin along tae Countin Crows an Nirvana. We baith kent aw the words. It wis guid.

We hud tae ride a ferry across the water. It wis ma first time oan a ferry but it didnae take too long. Ah reckoned they could build a bridge ower that wee bit water an now they huv. When we arrived at the camp site thirs these massive spiky mountains an a beach an hunners eh tents.

Sumbudy lent me an Maw a tent but she hud brought oor Brian Mills Catalogue sleepin bags fae when wi went campin afore. It wis funny in the wee tent. We'd hud this huge tent when Da wis around but it took oors tae pit up an they wir ayeweys screamin at each other by the time it wis done an Da wid disappear tae the pub an we'd be left wi Maw takin us tae the park an playin pontoon till it wis bedtime. It ayeweys seemed tae be freezin. This wee tent wis different, cosy an warm. Thir wisnae a pub fur miles an the folk in her club wir aw quite posh, like teachers or sumthin.

Thir wis yin other guy aboot ma age. Wee-er than me an a bit heavier. Karl his name wis.

'I was going to hire a bike for Karl,' Karl's mum says tae Maw. 'Would Gavin like one too? Then they can go and cycle all over and you can get up the hill, Lily. What do you think Gavin?'

Ah quite fancied that so ah says, 'Aye.'

We drove doon tae the cycle hire next mornin an picked up twa bikes that looked brand new.

Karl hud been here afore so he knew the score. Ah'd only ever ridden roond the play park an up tae the Commie oan the crappy second-haund bikes Maw got me. This bike wis mint – sumthin cried a mountain bike, so me an Karl took the name literally an we scrambled thum up an doon aw these rough paths that went fae wan glen tae the other. At wan point we passed a fermer oan a quad.

'Ah'm gaunae ask fur a shot.'

'You better not,' says Karl the saint.

'Come oan, he can only say no.'

'Haw mister,' ah shouts. 'Gies a shot eh yer quad.' An guess whit? He gets aff an says: 'Aye aw right,' an ah gans shootin aboot aw ower the field an it wis rare but Karl wis too feart. But he wis fearless oan his bike.

Just efter that we spied a big bundle eh folk an ah spotit Maw wi her purple rucksack.

'Gavin, wow, it is you.' (She'd gone aw posh in front eh her pals.) 'This is really out in the wilds. Good for you.'

'Why ur ye doon sae early? Ye said five,' ah asks, no wantin tae gan back yet.

She bit her lip. 'Somebody fell off the ridge just ahead of us an got killed. Ah didnae want tae go any further so some of us came back.' Then she smiled. 'Ah'll see you back at the tent. We're havin a barbeque later. Take your time. Have fun.'

We heard the helicopter fae far off an then polis an mountain rescue vans screeched up the wee road. Me an Karl scooted aboot a wee bit mair, but ah couldnae stop thinkin aboot whit Maw telt me. Ah didnae ken ye could get kilt hillwalkin.

When we took the bikes back next day the man in the shop wis ragin.

'Look at these tyres, they're worn bare. This bike is brand new.'

Maw points oot the windae at the jaggy ridge. 'This is Skye, what dae ye expect?'

An then wan Friday night in the wintertime Maw sat doon efter tea an says, 'Yer Uncle Tommy is hame fae Finland and wonders if we want tae go skiing with him tomorrow.'

Sam shakes his heid. 'No me, Beans wants me tae go up the toon wi him.'

'You'd be better comin skiiing. Keep you out of trouble,' Maw says.

He looked at her an says, 'No thanks.' Fur aw he wis a dick oor Sam wis normally quite polite tae Maw.

'Ah'll go,' says I. An efterwards ah says tae Sam. 'Whit's wrang wi you? It'll be great fun. Uncle Tommy's got loads eh money.'

'Why would ah want tae freeze ma baws aff oan sum mountain?'

So Tommy picked us up early next mornin in his massive Toyota Land Cruiser an we drive up really icy roads that ur cream cheese tae his snow tyres an we land at this place that hus loads eh snow plastered aw ower, even though thir wisnae wan drop eh the stuff at hame. Tommy's got aw his ain skiin gear, Maw wore her hillwalkin stuff but Tommy hired salopettes fur me an skis an boots fur baith eh us. An guess whit? Ah can dae it nae bother an Maw cannae. Every time she went tae get oan the button tow she faas aff an by the end eh the day two times oot eh three she'd faa aff. So Tommy took me oan the t-bar tae the top eh the mountain an it wis brilliant. Ye could see sparklin snowy hills fur miles an ah got how Maw liked hillwalkin though ah'd rather get ah lift.

Tommy hud tae gan back tae Finland so Maw saved up an coz her pal Janey could ski, they baith planned tae take days aff work an Maw kept me aff the skill again. We hud yumyums an hot chocolate as sin as we arrived at the slopes then we get the hire stuff an Maw faas aff the tow an Janey took me tae the top.

But this yin time Janey cannae come wi us so it wis just Maw an me. Same deal. Yumyums an hot chocolate when we arrived then geared up.

'Let's gan tae the top.'

'Ah cannae Gavin, you know ah always fall off the tows.'

'Come oan Maw, ye've been comin a couple eh times now. Ye must be gettin better.'

'Ah cannae.'

Ah wis ragin. 'Well, what's the point eh comin then? Ah'll go masel.'

'You can't. Look up there, it's misty. You might get lost. You're only fourteen.'

'Well, come oan then.' But even though it wis durin the week thirs a massive queue fur the lift. When we jumped oan the T-bar ma skis fittit intae the grooves an ah thought Maw wis daein aw right but then thir wis a broken bit that the centre folk hud covered wi a board an at that bit Maw fell aff so ah jumped aff as well.

We hud tae walk aw the wey back doon.

'Can we no just go tae the other side where thirs button tows. Ah can do them now.'

'No Maw, let's try again.'

So we dae. Efter huvin tae wait in a queue again fur ages we gets oan. 'Just relax,' ah telt her, but when we reached the board – fuck me – dis she no faa aff again. An this time ah keep gaun. Ah hear her shoutin.

'No Gavin, it's too misty.'

But ah ignored her. An then when ah got aff at the top, thick mist mobbed me an ah cannae remember where Tommy an Janey hud taken me that wis sae guid. So ah ski tae the top eh a run an it wis like ah sheer cliffside.

'Whit's this?' ah asks sum bloke that wis starin doon at it an aw.

'Black run. Don't go down that son, unless you're really good.'

So ah gan along a wee bit mair an thir wis this fence that hus ribbons oan it an a couple eh wee guys, wee-er than me, scoot past an doon. They disappear intae the mist. An it didnae scan too bad. So ah stertit doon an fuck me it got steeper. Ah gans cross weys an faa ower, ah gets masel up, turned an ski cross weys again but every time ah tried tae turn roond ah faa ower an thir wis guys scootin past aw the time, twistin this wey an that an straight doon. How dae they dae that? Ah just huv tae keep at it – cross, faa, turn. Cross, faa, turn an eventually the mist cleared an ah spied the café an Maw standin ootside watchin. Cross, faa, turn. It stertit tae flatten oot an ah hud a great run doon tae where Maw stood.

'That wis great,' says I. An in a wey it wis.

'Oh Gavin. Ah've been worried sick. Ah got the staff tae radio the top tae look out for you but they couldn't find you.' She pointit at the slope ah've just come doon. 'That's a competition run.'

'Aye? Think ah could dae competitions?'

'Gavin, you were on yer bum most of the way.'

'Best wey tae learn,' ah chirps.

Efter that she niver took me unless Janey wis there but it wisnae that often coz skiin is dear.

*   *   *

Efter ma dinner, ah'm just droppin aff tae sum nice braw zzzs when ah hear a dug barkin ootside. It disnae soond that far away an ah ken if ah could struggle tae the windae ah might see a wee dug oan the street. But ah cannae coz ah want oot eh here an ah'm no riskin anither roastin like the yin ah got fae physio Alan efter that time ah went tae Billy's funeral. Whit ah dae insteid is think aboot ma ain wee dug, Tilly. An ah decide it might be nice tae write a wee biography eh Tills. She didnae huv that bad a life efter aw.

Tilly the Dug

POOR TILLY THE dug – the maddest dug there ever wis.

Ah hud nae idea we wir gettin her. Ah ayeweys thought she wis mine coz she arrived oan ma fourth birthday. Ah woke up early, aw excited fur ma presents. It wis still dark ootside an ah could hear this wee yelpin soond. Ah crept doon the stairs an there oan the settee wis ma da stretched oot deid tae the world. This wee bundle eh broon an white wis squirmin aboot oan tap eh him, tryin tae work oot how tae get tae the flair. She wis a springer spaniel an even though she didnae huv a tail she wiggled her bum in a wag as if she hud.

Maw says it wis just a coincidence she came oan ma birthday. Sumbudy at the pub gied her tae ma da.

'She's only five weeks auld an shouldnae really be away fae her mum yet,' Da says. 'That's why she couldnae sleep.' At first he wrapped an alarm clock in a towel an pit it aside her tae kid oan it wis her maw's hert beatin. That didnae work so ma da pretended tae be her maw fur a while until she settled doon.

An right fae the stert she wis a nutter. Ayeweys jukin roond folk tae escape oot the front door an oantae the main road. The folk in the village soon got tae ken her, ayeweys bringin her back or helpin tae catch her, which wisnae an easy job.

If onybudy came tae the hoose she wid dae circuits eh the livin room at a hunner miles an oor. "Wall eh death", ma papa cried it but ah niver really understood whit that meant. Roond an roond, (Christ knows how she niver made hersel dizzy) until she'd eventually end up halfwey up the stairs peekin through the bannister at us, pantin like a puggy.

Coz she wis a springer she could spring pretty high an ah loved takin her tae the field by the Commie when the gress wis taller than me. She'd loup through it, her silky ears flappin til she disappeared intae the growth an every now an again she'd loup high just tae check ah wis still there.

She wis rubbish in the car. Wan summer, must huv been durin the Miners' Strike, Granny an Papa peyed fur us tae huv a holiday, a caravan in Elie. But ma maw an da didnae huv a car then so Papa hud tae take us. An every half oor or so we hud tae stop tae let Tilly oot tae puke an skitter. When Papa came back tae collect us he refused tae take her back so ma da hud tae ask Uncle Kenny tae come an get her. Ah screamed tae go wi thum rather than go hame wi ma maw an Sam an stuffy auld Papa an of course ma da says 'aye'. Ah swear, apart fae the Lamborghini trip (anither story) ah huv niver traivelled sae fast in ma life. The pair dug niver got a chance tae feel sick. She hung her heid oot the car windae an her een near got blastit oot her lugs.

She ayeweys hud a 'delicate digestion'. Durin the strike Maw tried tae gie her Chappie, the cheapest eh the cheapest dug food but it just went right through her, niver touched the sides. So she got dried dug biscuits mixed wi Bisto gravy fae then oan.

Lots changed fur Tilly the dug when ma da got his redundancy. We hud money. We hud a braw holiday tae Tenerife an Tilly hud tae go tae the kennels. Now the kennels wis three miles away, so Maw walked her there rather than risk her shittin oan the bus. Ah went wi Maw tae collect her an at first she wis loupin aboot aw ower the shop, hoarse barkin an wigglin her wee tailless bum. But when she got back tae the hoose an intae her ain bed she went in the huff, turned her back oan us an bided in there fur at least a couple eh oors.

They niver got her spayed fur ages coz Da wantit her tae huv puppies so he could make sum easy dosh, but that niver happened. Whit did happen wis me an oor Sam got pestered wi aw the village strays wheniver she wis in season. We wid refuse tae walk ootside so Maw hud tae run us awwhere in her new car but even still we'd huv aw the dugs runnin efter us an we'd pray the scrap heap eh a car widnae brek doon.

Like ah says, at first ma da loved her, kiddin oan bein her maw an aw, but often when he came hame fae the pub an she'd dae her wall eh death an jump oan him, he'd boot her oot the front door intae the road.

Now ah ken this is a long wey fur a short cut but him kickin the dug is the reason Maw went back fur Tilly the day efter we left ma da. When ah walked past oor hoose the day efter we left ah couldnae help thinkin aboot ma da. He didnae even phone ma granny an papa's even though he wis bound tae ken we'd be there. When ah got back fae skill ah wis that gled tae see Tilly up at ma granny's hoose, but Papa's face wis like fizz. They made her stey in the front porch but she hated it as much as ah hated steyin in the foosty end room. She'd whimper an scratch the door.

'She's not stayin here,' ma papa says. Maw chewed her lip.
'Ah'll get sumthing sorted.'
By the end eh the week me an Maw took the dug tae her pal Janey's hoose. We only hud tae stop the car wance tae let her be sick.

Janey hud three big huskie dugs. Massive but lovely cuddly things. We pit Tilly in wi thum. She wis shakin, she looked that wee against thum. They wir aw chummy at first. Sniffing roond her. Janey said we should gan oot the room tae test how they'd git oan. An as sin as we stepped oot they aw ganged up oan her. Ah've niver heard a dug scream afore but that's whit she did till Janey waded in an pou'd the dugs aff her an Maw grabbed Tilly up intae her airms like a bairn. Ah swear until that day ah dinnae ken that fear hud a smell but that wee dug wis waftin fear oot eh every pore. Janey sorted the dugs oot an pits thum back in thir kennel.

She made us a cup eh tea, Tilly still quiverin oan Maw's lap.

'What am ah going to do?'

'Ah'll phone ma Mum,' Janey says an gans oot tae the hall tae phone.

'Why can we no just gan hame? Why arc yc puttin us through aw this? That pair dug.'

'Don't start Gavin.'

'At least gie the dug back tae Da. He must be missin us.'

'He doesn't want her.'

'Ah dinnae believe that. Huv ye asked?' But Janey's back in the room so ah'd niver ken.

'Ma mum'll take her,' Janey says. 'She lives just a couple eh miles oot the toon.'

So we cairried the dug tae the car an let her huv a wee sniff but she stertit shakin again so ah climb in the boot wi her an just cuddle her. Janey followed in her ain car.

Janey's maw is no like her. Janey's young an braw, her maw hud dyed blonde hair but that didnae hide the fact she looked like she wid dae well at the Setterday efternin wrestlin. Giant Haystacks wid need tae look oot.

But turns oot she wis really nice so ah shouldnae huv said that (even though it's true).

Her name's Nancy an she hud a wee broon an white dug just like Tilly. His name wis Archie. An Archie went ower an gied Tilly a wee sniff but she'd hud enough an nipped him oan the nose so Archie wis pit in his place. Tilly curled up an claimed the front eh the gas fire an gans tae sleep.

Maw tried tae gie the wuman money but she widnae huv it. But every week me an Maw wid gan doon an see her. Sam came an aw, when he could be ersed, an we took food an treats fur baith Tilly an Archie until we claim her back.

Every time we got back Papa asked us how she wis an Maw gied him that look an says 'fine' in her dull quiet voice that speaks volumes.

Maybe that's why Papa helped that last time wi Tilly when she wis auld. Guilt. An of course ah now ken he wis ill hisel at the time.

Maw hud just got her fancy new job in Glesgae an the first thing she hud tae dae wis gan tae Denmark fur two months. So there's me. Sam's oot the hoose by now, an ah'm left lookin efter the hoose an the dug. An it seemed tae me the meenit Maw left, Tilly's skitterin aboot aw ower the place. Every morning ah hud a mess tae clean afore ah gan tae work. An then she stopped eatin. Ah telt Maw when she phoned every night.

'Ye'll huv tae come hame. Ah cannac stand it, Maw.'

'Ah'll be home at the end of next week for the weekend. Take her to the vet. You know where it is. The phone number's in the book. They'll see her if you say it's urgent. Get them to send me the bill.'

But ah phoned Papa insteid an asked him tae help an he phoned the vet an we took her an she skittered aw ower the blanket ah hud wrapped her in. Ah cairried her intae the vet an it wis like awbudy kent it wis hopeless so we gets taen first.

The vet's a wuman an aw gentle when she felt roond Tilly's belly. The wee dug wis shakin an stinkin an ah smelt that fear again.

'She has a tumour. How old is she?'

'Thirteen.'

'She needs put down.' She looked tae Papa.

'My daughter isn't in the country.' Ye heard the disapproval in his voice. 'We can't make that decision.'

'When will she be back?'

'Friday,' ah says.

The vet nodit. 'I'll give you a sedative to get her home and some more to give her until the owner gets home. She can bring her back on Saturday morning.'

'You should have done it.' Maw says fae miles away.

'Ah couldnae, an nither could Papa.'

That Friday ah wis niver sae gled tae see Maw back. She dumped her suitcase in the front porch an still in her fancy work suit she sat oan the stairs wi Tilly in her favourite spot. They sat there fur ages just rockin. The wee dug lookin up at Maw wi trust in her een, thinkin Maw could fix her.

Next mornin ah got up afore nine but Maw hud awready left an Tilly's bed an lead an toys hud been cleared oot eh her wee cubby hole under the stairs.

Alan the Physio

THE FIRST TIME ah met Alan, the physio, ah thought the hospital folk wir haein me oan coz he lurched intae the room like the Hunchback eh Notre Dame. Ah thought he must be sum sort eh ghost eh Christmas future – this wis whit ah wid look like when ah got ma cast aff. But then ah noticed his uniform, his wee badge that pit him firmly in his place.

ALAN the name badge says in bold, his second name just aboot hidden as if unimportant.

'How are you doing Gavin?' he says as if wir auld mates. Ah looked at my white mummified cast, ma leg up in a sling an ah cannae help the giggle that splattered oot ma mooth.

He stuck his haund oot fur me tae shake. 'Alan, I've been assigned to you. I'm a physio and I'm going to get you back on your feet and moving in no time.'

'How ye gonnae dae that then Alan? Ah'm no bein cheeky like but ah notice ye've got a wee swagger yersel?' ah says, genuinely interested.

He gans a bit pink an then hits his leg. 'Motor bike accident,' he says. 'That's what got me into physio actually.'

'Aye?'

He gies a wee laugh. 'Aye, I used to be a wee toerag like you.

Always on a bike even though I'd been warned it was too big for me and then one day this.' He hits his leg again. 'I was nearly killed and thought I'd never walk again, but my physio got me moving and inspired me to change my ways.'

Ah didnae think ah liked bein cried a toerag by this guy but if he wis gonnae help me then ah reckoned ah'd better keep in wi him.

Alan stood at the end eh ma bed. 'You've been inactive long enough,' he says, takin ma leg doon fae the sling. Ah shut ma een an sucked in sum air expectin a woosh eh pain but it didnae come coz ah'd no long since hud painkillers an ah noticed Alan still held ma leg.

'I want you to try and contract your leg muscle.

'Dae whit?'

'Tighten the muscle.' So ah did that. 'Good,' he says. 'Now I want you to close your eyes again.'

'Whit the fuck?'

'Trust me.'

So ah shut ma een again.

'I want you to picture yourself, without the cast.'

Ah tried that but it wis awfy hard when ah could feel the itchy bastardin cast ower ma leg.

'Imagine you are at home. Lying on the sofa.' Sofa! Fuck sake.

'The settee, ye mean?'

'If you like. What colour is it?'

'It's too wee.'

'What is?'

'The settee. We used to huv this big broon leather thing but efter ma da went Maw replaced it wi this fancy patterned thing. It's too short fur a rare stretch oot. Aw right fur her short arse but nae guid fur me an Sam.'

'OK, then imagine you are on the old sofa – settee.'

'Ah cannae dae that, it's at the cowp.' Ah could hear his breath get a bit busy. 'What aboot ma granny's settee, will that dae?'

'Aye, that will do.' Ma leg wis stertin tae throb a wee bit now. Must be the blood rushin in different directions or sumthin.

'So, you are lying on Granny's settee and you lift your right leg up.' Ah stert tae move ma right leg an Alan says, 'No Gavin, don't do it, just imagine you're doing it.'

'For why?'

'I want to use a visualising technique that is very effective.' Ah could feel him shift his weight oan my bad leg an suddenly ah woosh eh tiredness washed through me an ah wished he would split an let me sleep.

'OK Gavin, I know this is hard, let's try again, once more then I'll let you rest. Close your eyes,' ah did. 'You are lying on your granny's sof… settee. You lift your right leg.'

Ah screwed up ma face an tried tae imagine it. Ma granny's settee is velvet, a sort eh light green colour. Ah ken she cleans it coz ah've seen her chuck the cushions oan the flair an hoover it, but still it smells eh ma Papa an he deid earlier this year. Ah imagine liftin ma right leg up.

'What colour of socks are you wearing?'

'Ah cannae see, ah've got ma trainer oan. No that cannae be. Granny wid niver allow trainers oan her settee.'

'What way are you lying?'

'Eh?'

'Is your right or left side to the back of the settee?'

'The right side. Coz ah huv a big fuckin cast oan my left.'

'You don't have a cast. Imagine looking at your left leg. It doesn't have a cast.'

Ah try tae imagine but it's no easy.

'What colour of sock?'

'Black,' ah say, just tae keep him happy.

'How do you know? I haven't asked you to lift your leg yet.'

'Ah did it when ye wirnae lookin,' ah says.

Ah could feel him easin ma leg back in the sling.

'Very good Gavin, you can rest now and I'll be back tomorrow.'

At first ah wis gled he left. Ah shut ma een but then ah flashed thum open again. Ah didnae want tae go tae sleep, no until they gave me anither wee magic pill.

Every time ah faa asleep, sumtimes ah'm no even sleepin, that horrible feelin eh faa'n whooshes back. Aw the 'if onlys'. If only ah hud telt Granda tae take a hike when he asked me tae help him. Ah kent it wisnae safe. If only ah wisnae such an eejit.

*   *   *

Ah've been thinkin a lot oan whit Boo telt me aboot his business idea an thinkin whit ah'm aw gaun tae dae when ah git oot eh here. Ah think ah need a plan.

Maw came tae see me the day. She wis wearin her runnin stuff. Ah cannae remember when aw that runnin malarky stertit but ah mind gettin up wance oan Christmas mornin tae a desertit hoose. It wis just her an me livin in the hoose at the time. Tilly wis oot the back an Maw came runnin up the close. Imagine bein mad enough tae gan oot runnin oan Christmas Day.

The day she sat oan ma bed. Ah'm playin oan a Game Boy.

'Ah'll get you one with games next time,' she says.

'Whit?'

She noddit tae the laptop. 'I can't buy you one this month. Sam's needing money for his house move, solicitors and stuff.'

'Why do you huv tae pey that? He's workin.'

'Don't start, Gavin. Ah want to help you both now ah've a good job.'

'Aye aw right.'

She patted the top eh the laptop. 'Don't break it. It belongs to ma work.'

'Aye, aye, ye said.'

'Ah'm not supposed to have it home.'

'Ah'm no a wee laddie ye ken. Take it back if yer sae worried,' ah says. Ah go back tae ma game, wishin she'd go. She took the hint, gits up tae go, left the laptop where it wis.

But ah stopped her. 'Maw, wid ye teach me how tae run?' ah says afore she closed the door.

'Run?' her eyes flicked tae ma leg but she wis wary eh speakin.

'Aye, when ah'm up oan ma feet. Go oot runnin wi ye. Tae get fit.' Ah slapped ma flabby belly as if tae prove ma unfitness.

'It'll be a while.' Ah felt ah wis gonnae be bumped again an she must huv noticed coz she came an sat oan ma bed. 'Take your recovery seriously. Do what Alan tells you. And as soon as you are able ah'll take you running.'

An ah kent she meant it even if it kills her tae run a bit slower for a while. 'Ah better go and get my run done before it gets dark.'

But ah kent she wisnae in the clear yet, Granny Annie'll get her oan the wey oot an gie her a massive dose eh guilt. She's guid at that, ma Granny Annie.

Efter she gans ah stert thinkin aboot Alan an his limp an ah remember he's no the only yin wi a motorbike story tae tell.

The Motorbike

DIVORCE! THE THING aw kids dread, but that's whit ma maw did tae me an Sam. Thirs mair chance eh me gettin aff wi Janey than ma maw an ma da gettin back thegether. An whit dis Maw dae when we ur tryin tae get tae grips wi oor new life? She gets stuck intae decoratin the hoose fae top tae bottom. She thought tartin up oor rooms wid make us happy. But coz she didnae huv ony money she hud tae caw canny like. She gets Jimmy fae across the road tae tile the bathroom wi bargain bin white tiles but ah huv tae admit it looked braw. The rest she did hersel. Ah dinnae ken how ma maw learned tae decorate but she used tae dae it even when Da wis around. She can even hing wallpaper.

At the time ah'd only just turned twelve. Oor Sam, who hud morphed intae a bit eh a rocket since the divorce, wis expected tae look efter me even though he's only two years aulder than me.

It didnae take a genius tae tell ye that widnae work.

It stertit wi a motorbike. Like me an wheelbarras, oor Sam hud an eye fur a bargain motorbike. He wis that clever at daein thum up. He'd been swappin his pushbikes since he got his very first. Every now an then he'd turn up wi a bigger an better model, but that wis a bit wrecked. He'd dae it up then swap it fur anither wreck. Ye get the idea. When he wis aboot twelve he swapped his BMX fur a wee 50cc Honda that didnae work. Maw wisnae too bothered coz she reckoned he couldnae get it tae spark. Shows ye how well she kent oor Sam. He stripped it doon an got it workin in nae time. He didnae even need parts. She went ballistic when he went roarin up the close wi it an shot intae the main road. She locked it in the shed until he promised tae get rid eh it. But Da wis around then an he gave Sam the key fur the shed when he came back fae the pub. Then Sam got a buyer fur it an the next thing it wis oot an away, but replaced by sumthin bigger. A 150cc ah think. Same story. He promised tae just push it up tae the Commie tae ride it in the field. Maw went wi him that first time an made shair he hud a helmet, then it wis back tae the studyin books fur her an back tae mischief fur oor Sam. Now that might soond nice an braw an enterprisin but mind oor Sam wis only young then, didnae huv a licence, nor insurance. Da wis oot the picture an oor Sam thought he wis boss, nae wey wis he lettin a wee woman tell him whit tae dae.

The real trouble stertit when he got haud eh a 450cc. Man it wis a brute! He smuggled it intae the shed while Maw wis at work an every night efter skill he worked oan that beast. Ah tried tae help but he kicked me oot the shed ony time ah ventured near. Big man, he thought he wis.

First Cru-ella stertit complainin aboot mair ile in the close. Maw tried tae scrub it but it still left marks. Then one day her night class wis cancelled an she wis hame early. Boy did she hit the roof.

'Get rid of it.'

'No.'

'Look at the size of that thing, ye can hardly lift it.' This wis true, it wis awfy heavy.

'Ah dinnae ken why you're so bothered, you're niver here. It disnae even work.'

That wis a lie – it did work an oor Sam got fed up pushin it up the Commie an stertit tae ride it slowly up the road. But the road tae the Commie runs near Granny Annie's hoose an she spied him an she phoned Maw at work an clypes oan Sam. An Maw telt him tae lock it in the lock-up an he says no an there's not a thing she can dae.

The next night ah'm waitin fur Sam up at the Commie.

'Gies a shot,' ah says.

'Nah, yer too wee.'

'Gies a shot, ah'm nearly as big as you.'

'Yer only twelve.'

'Pul-ease.'

Aw the wee cubs stertit tae arrive an spied us. An ah wis thinkin we better get oot eh here afore Akela saw us.

Sam seemed tae think the same thing. 'Aw right,' he says.

He showed me how it gans. When ah released the manic throttle ah hurtled ower the fitba field an ah smelt burnin an felt this scorchin oan ma leg, ah dinnae ken whit happened next but the big beastie shot fae under me, ah faa backwards an the bike landit on top eh me, nearly takin ma heid aff.

'Fuckin idiot,' Sam ran up an pou'd the bike aff me an stertit tae make shair it wisnae damaged. Niver mind me. That's when ah noticed my skill troosers wir meltit tae ma leg. Ah managed tae peel the bit aff an it left a hard an crinkly hole oan the trooser leg. Ah couldnae get up. Ma heid wis birlin.

'Ah'll go doon an get Maw.' He jumped oan the bike an tore doon the road an that wis him settled oan the road runnin. Once he got that taste eh speed thir wis nae gaun back.

Maw came up in the car. By this time ah felt better an wis

just sittin oan the gress. Ah couldnae move coz ma troosers wir shards. She helped me intae the car an telt me tae take thum aff.

'Cheap polyester. Ah'll need tae order a pair from the catalogue. You'll huv tae wear your trackies tae school until they come,' she says as if that's aw she's bothered aboot, but sumthin weird crept intae her voice.

Maw tried tae stop him, she really did. Stopped his pocket money. Once she even tried tae take the bike aff him but as soon as she grabbed hold it toppled ower. Onybudy could see it wis too big fur her. Her work claes wir covered in ile. An the ile in the close got scrubbed again but still wouldnae shift.

Eventually the polis came.

It wis a fresh new face. PC Anderson ah think he wis cried. Sam wis eatin his tea an niver even blinked when the polis walked in, fillin up the hale room wi his big dark bulk.

'Mrs Smart, we need to talk to you about the boys. We've had complaints and need to ascertain what childcare you have in place?'

Maw's face went pure beetroot. 'I've spoken to my solicitor and he says they're legally old enough to look after themselves.' Ah should say at this point Maw's solicitor is a biker an he also telt her the best stuff tae clean the ile oot the close. But she didnae tell the polis that.

PC Anderson pointed at me. 'He's only twelve.'

'His brother's fourteen.'

He took oot his wee notebook an pinged aff the raggedy elastic band haudin it thegither.

'We've had reports of illegal motorbike rides.'

Maw pursed her lips an glowered at the close wall.

'He only rides it off road.'

'That's not what we heard.'

'Then take the bike away,' Maw says.

Sam jumps oot his seat. 'Mum!'

'Go on, you take it away.'

'We can't do that. It's your job to control your children.' He turned to Sam. 'Do you promise to do as your mother says and not take the bike on the road?'

'Yes, officer,' says Saint Sam.

But guess whit?

The next night he's aff again an PC Anderson wis right ahint him, like he'd been stakin him oot. When they get back tae the hoose, Sam pushin the bike, PC Anderson crawlin his panda car ahint, Maw wis oot in the street.

'Take the bike, take it down the burn and dump it. Please.'

'We can't do that.'

Maw went ower tae Sam tae take the bike but he pushed it at her, she side-stepped an it fell ower. Sam's dust.

'You have tae help me,' Maw says as she struggled tae lift the bike aff the groond.

The polis pushed the bike tae the lock-up an Maw locked it in. But we aw ken how secure that place is!

'If you don't keep them under control, I'll have to charge you.'

'Me?' Maw face went pure purple.

'Yes you, Mrs Smart.'

Maw stormed up tae Sam's room, ah wis right ahint her, but she shut the door in ma face an they spoke in whispers.

Next day the bike disappeared. But that wis just the beginnin.

*   *   *

Lookin back at this now, ah think this is when aw the bad stuff sterts tae happen.

Mair Physio

ALAN CAME BACK tae see me every day in the ward an every day he got me tae imagine sumthin else aboot ma leg, walkin around, playin fitba, an then wan day he came in wi a set eh crutches. He cleared aw the furniture fae around ma bed an opened the room door. He hoiked me up tae the crutches an adjusted the height. Ah wis wobbily as a weeble an ah reckoned ah wid huv faa'n doon if Alan hudnae been right aside me.

'Right, put the crutches forward and use them to support you.' He wis that close ah could smell his oxters. 'Move your right foot forward.'

Ah gan tae dae it, ah wis that desperate tae walk an ma erse wis sair fae aw the loungin ah've done.

'Take it slow and gentle. Don't hop, don't put any weight on your bad leg. Use the crutches.' Sweat wis wiped ower ma broo by this time. 'Only put weight on your good leg, that's it.'

But ah didnae even get as far as the door when this muckle stabbing pain shot right up ma leg an back. Ah felt dizzy, sparkles lit the corners eh ma een. Alan sumhow managed tae huckle me back intae bed.

'I think I'll get the consultant to look at you tomorrow, before we go any further.'

This isnae the first time ah've been laid up. Just a couple eh months ago ah hud a funny thing happen tae me. Thir isnae really an explanation fur it but ah blame Maw coz ah stertit takin dizzy spells just efter she buggered aff traivellin an left me tae fend fur masel.

Ma theory is Maw got rid eh Da tae save Sam. Then got rid eh Sam tae save me. Ah think she got rid eh me tae save hersel. She wis ayeweys a bit selfish but wance she got her fancy new job in Glesgae it wis only a matter eh time afore she seen me aff.

Faa'n Doon

IT STERTIT WI the job. Sam wis provin tae get a bit mair settled. When ah turned sixteen ah left the skill an stertit an apprenticeship. Reekie Rab's ma journeyman but niver mind, life's no perfect. He's stinkin, his van's stinkin. Awbudy hatit huvin tae work wi him but ah stick it coz he makes money oan the side an ayeweys gies me a bung tae keep ma mooth shut.

So Maw hus a day aff an when ah got hame she's aw quiet.

'I need to talk to you, Gavin,' she says.

Ma hert stertit loupin, ah hoped she wisnae gaun tae tell me she wis gettin mairied. 'You know how you an Sam are both settled?'

'Aye.'

'Ah need tae leave ma job. Ah hate my work now. Ah've worked so hard, passed all my exams. There's nowhere for me tae go at work.'

'Leave? Ye cannae leave.'

'Do you know who ma new boss is? A snooty nosed boy only a couple eh years older than you. Ah cannae stand it.'

Ah kent who she meant, he drove a Cosworth that wis in mint condition an flashed aboot the toon like naebudy's business. But her big-big boss ca'd the shots. An if ah'm honest ah knew this wis comin. Last year she went fur a job interview in Aviemore, ah mean Aviemore, ye'd huv tae be desperate tae gan there – fuckin wilderness. At least thir wis the skiin.

'Ah've got a new job in Glasgow.'

'What about me?'

'Ah'll be home every night.' But she wis lyin coz a couple eh months later she wis in Denmark fur two months an only got hame fur the weekend every fortnight. Ah wis left huvin tae cook aw ma meals an look efter the hoose an the shitty dug. Next it wis Sweden. An the hoose that ah'd steyed in aw ma life stertit tae close in oan me, especially efter Tilly went.

Every time she came hame she cleaned the hoose, she filled the freezer wi food an washed claes. Went tae visit Granny Annie an Papa. Then she wis away again. She phoned every night but she didnae huv a clue how ah wis feelin an niver asked.

That's when ah stertit tae get dizzy. Ah wid wake up sweatin an shakin. No able tae breathe. Oan they days Rab wid huv tae pick me up in the van. Wan time ah wis at a job an ah just fell ower an he got me up oan ma feet.

Wance ah went up the toon fur messages an ah fell ower in the street. Ma frozen pancakes an chips scattered aw ower the road. Wifies tut-tutted an crossed ower tae the other side, thinkin ah wis drunk or drugged. Ah couldnae blame then, whit wid you think if ye saw a teenager spattered oan the pavement. Ah hud tae drag masel tae a phone box an phoned Granny Annie tae come get me. When she dropped me back hame ah stertit tae sweat coz ah hud tae gan intae that empty hoose that still smelt eh shit fae that now deid dug, fur aw Maw's cleanin.

Maw came hame fur a hale two weeks coz Papa deid eh cancer but she steyed a lot eh the time wi Granny. Then as sin as the funeral wis by, she fucked aff again.

'Can ah no come tae your hoose?' ah asks Granny coz ah kent she felt abandoned an aw.

'Your mother shouldn't have left you,' she says, meaning 'us'. Coz she didnae want Maw tae take the job in the first place.

'She'll be back oan Friday,' ah says.

'Still, where's this going to lead?' An off she went pure rippin ma maw tae shreds until ah couldnae stand it ony longer an ended up gaun hame – better eh two evils.

'Phone the doctor,' Maw says when she phoned.

An next mornin ah faa oot eh bed an phone in sick an phone the doctor. But Dr Murchies ayeweys hated me ever since Maw hud a go at him when ah hud the measles. He at first telt her she wis overreactin but she insistit he came an when he saw me burstin wi fever he knew she wis right. Niver said so though. But that's doctors fur ye.

He widnae come in fur a hoose visit so Granny hud tae take me. This time he took wan look at me an says it wis labyrinthitis. He explained it wis an infection eh the inner ear but he warned me he'd only gie me a line fur two week coz it wis easy tae fake. He thought ah wis at it. He gave me motion sickness pills fur Goad sake. Maw took mair time aff work tae stey wi me until ah got better. Ah stertit tae feel ah bit better efter yin week but steyed aff the hale fortnight just tae make shair.

Ah telt this story tae Alan while ah wis in hospital an next thing ah'm wheeched away fur an MRI.

Ma life just seems tae be wan drama efter another.

Childminder (1)

'THEY'RE GAUN TAE charge me.' Maw's voice should huv been a shout but ah could hardly hear her.

Sam sat oan the big seat an glowered at the flair.

'Did ye hear me?'

'Aye,' ah says.

'Both of you.'

Sam looked up. 'Is this because eh the motorbike?'

Maw noddit then shook her heid. 'No, no really. But aye, mostly. Ah've been reported tae the police.'

'Her next door,' Sam says.

'By more than one person.'

'That cunt oan the other side?'

'Don't swear Gavin,' Maw nipped then sighed. 'Sam, you've been roarin up and down this village on an illegal motorbike. It could have been anyone. It might even have been yer granny. Christ, she's always going on about you. Worrying you'll get killed or the folk fae the women's rural will see you and gossip about her. No, it's long overdue. The police say they'll charge me with neglect unless you're looked after responsibly while ah'm at work. Ah'm hiring a childminder for after school.'

'Whit the fuck, no way,' Sam says.

'Naw,' says I.

'Oh, OK then. We'll have it your way,' Maw says. 'Ah get charged, go to court, fined, maybe prison and you end up in care.' She stabbed Sam in the chest wi her finger. 'Even you big man. Is that what you want? You think you're big but you're still only fourteen. At least ah'll get a bit eh peace in prison.'

'Fourteen is auld enough, you said so. Yer lawyer telt ye.'

Maw plonked hersel doon oan the settee beside me. 'Ma lawyer said you were old enough to look after yourself.' She tugged at her hair. 'But ah think he expected you to act responsibly. He was wrong. There is only so much me and ma lawyer can do. You're breaking the law and so am I because ah cannae stop you. So, ah need tae get a childminder.'

'Whit aboot Granny an Papa?' ah asks, but ah kent that wis impossible because Maw hus asked thum in the past an they'd no look efter us. Thir blood pressure couldnae stand it.

'Ah've asked a lassie fae the new hooses to come in after school.' She looked that chuffed wi herself, like she honestly thought she'd solved the problem. Little did she ken.

'Who?' Sam asks.

'Lana Rollo.'

Fuck sake!

Maw didnae huv much money so she couldnae pick an choose but dozy Lana Rollo fae the new hooses! Awbudy kent she couldnae gan onywhere withoot Maggie McCauley. Baith sixteen an thick as shit. Oor pals wir gonnae gie us a roastin fur this. Thir only a couple eh year aulder than Sam. But he wisnae sayin much an ah couldnae help wonderin why.

The next day Maggie McCauley gets aff the skill bus afore us an gans tae open oor front door coz Maw's taken oor keys aff us an gien thum tae Lana. Sam an me loitered in front eh oor hoose like Jehovah's Witnesses waitin tae get asked in.

'Hiya boys,' Maggie says an ah watched Sam's neck bristle like Tilly the dug dis when she see a cat.

She invited us in an the first thing she did wis let Tilly escape roond her legs an ah hud tae run efter her afore she gets tae the main road.

Lana sauntered roond the corner coz she'd been skivin aff skill. She hud a gang eh pals fae Hollyburn wi her. Maggie let thum aw intae oor hoose. Ah pit the dug in the back gairden an beltit up the stairs where ah wis shair Sam wid be hidin in his room. But he wisnae there. Ah changed oot ma skill claes an heads back oot.

'Where're you gaun,' Maggie growled, standin in front eh the door. 'We're in charge.'

'So? Ah'm gaun oot.' Ah pushed her. 'Shift.' When she didnae move ah kicked her in the shins an slithered roond the side eh her just like Tilly did.

Ah fund Sam in the bus shelter. We baith sat there freezin oor baws aff.

'This is your fault,' he says.

'How? You're the yin...'

'Naw. Aw they times the polis wis at the door fur you brekin windaes, cheekin Cru-ella, cheekin Sergeant Alexander, runnin away fae Granny an Papa's.'

'No fair. Ah niver. It's you.'

He took a packet eh fags oot his pocket an haunds me yin.

'Whit ur we gaun tae dae?' ah asks.

'Ah didnae think we need tae dae onythin.'

When we heads hame fur oor tea we expectit Maw tae gan radge at us fur steyin oot too long but thirs a polis car parked oot front. We peeked through the back windae. Maw wis sittin in the livin room wi Sergeant Alexander. Thir baith drinkin tea like auld pals.

'She better no be thinkin eh gaun oot wi him,' growled Sam.

When we crept in ah noticed the hoose wis stinkin eh smoke. Thir wis records an tapes scattered aw ower. A bomb site. She didnae even look at us when she says, 'go and get washed before your dinner, boys.'

Ah niver did fund oot whit happened but it seems tae me they lassies wir even mair trouble fur oor neighbours than we wir.

Braw, maybe the polis wid let her aff.

Nae chance. Whit we got next wis worse.

Childminder (2)

Mrs Reilly fae the next village. That's who she got next. The wifie gans tae the chapel wi Granny an Papa. Maw came hame early an telt us tae stey in.

'Be on your best behaviour, this is ma last chance,' Maw says.

Thir wis a chap at the door an this tubby wee wuman wi hair like candy floss waddled in. She smiled at us but behind it thirs a sort eh frown. When we're aw sittin aw prim an proper Maw stertit her spiel.

'Mrs Reilly will be here when you get home. She will do some housework an leave just before I get home.' Ah noticed Mrs Reilly hud wires eh hair growin oot her chin. Ah couldnae peel ma een aff thum. She licked her lips an smiled again. She smelt eh Pledge.

'This isnae gonnae work.'

'Yes, it will, Sam,' Mrs Reilly says. 'Ah've brought up six boys eh ma ain.'

Ah sees Maw bite her lip an kent whit she'd be thinkin. No aw boys ur the same.

Next day Maw left a fiver oan the mantelpiece an shood us oot the door. When we came hame, the dosh wis away. The hoose wis roastin, Mrs Reilly must huv pit coal oan the boiler

– a job Maw nagged us aboot every night. The ironin board wis up in the livin room. Maw only ironed oan a Sunday night, how come thir wis sae much. Mrs Reilly singin Beatles shite made ma ears pure bleed.

'Yer mum left a pot of soup for you.'

'Ah'm away oot,' Sam says an slammed the door oan the wey.

'How about you Gavin?'

It did smell braw but ah says, 'Naw, yer aw right,' an followed Sam oot the door.

Ah've nae clue whit she did till Maw came hame, just sat there an watched *Neighbours* ah suppose. Didnae seem like much fur a fiver.

Maw sat waitin fur us. 'Well it works fur me,' she says as we dragged in. 'Nice warm hoose, ironin done. And no police.'

This gans oan fur a week. Every mornin Maw laid a fiver oan the mantelpiece. An me an Sam ur chased oot oor ain hoose.

Then one mornin Sam grabbed me at the bus stop.

'We cannae go oan like this. A fiver a day that wuman gets. Fur whit? Tae dae a wee bit ironin an sit oan her backside.'

'Whit dae ye suggest we dae?'

He huckled me away fae the bus stop an doon the burn.

'We're gaun tae miss the bus.'

'Aye, we ur.'

He produced a key fae his pocket.

'How?'

'Granny Annie.'

'Ye nicked it?'

'She'll get it back.'

The hoose smelt funny durin the day, like burnt toast an cauld coffee. Thir wis a big pile eh claes in the washin basket, breakfast dishes oan the bunker an oan the flair by the settee.

Sam swiped the fiver intae his pocket afore ah got a look in. 'Ah'll gie ye half efter.'

Sam filled the basin an dumped the dishes in. 'You dae the dishes,' he says.

'Ah cannae, ma eczema.' That's no an excuse, by the way, ah hud eczema bad when ah wis a bairn. 'Maw says ah huvtae watch.'

'You dae the ironin then.'

'Ah dinnae ken how.'

'Ah'll show ye.' He wisnae very guid either.

We huv the jobs done in nae time. We pit the claes in the drawers an wait. It wis braw bein in the hoose durin the day.

Sam locked the front door an left the key in the lock. At three o'clock we heard a rattle eh keys. We're baith upstairs. Ah wis desperate tae look oot the windae but Sam hud me pinned tae the flair. Ah stertit pissin masel laughin but he pit his haund ower ma mooth. The bangin stertit next. Then mair rattlin. Then bangin. Then, 'Let me in, let me in.'

Then we heard Cru-ella next door come oot an they hud a wee blether, but we couldnae hear. Then nothin.

Maw's happy when she came hame. Then frowned.

'Oh she's put the clothes away. Ah'm not sure ah like that.'

Aw night we waitit fur Mrs Reilly tae phone but thirs nothin. Next mornin Maw came doon ready fur work. She smoothed oot her blouse.

'Didnae dae much of a job on this one,' she says tae hersel.

Sam forged us a sick note an we get away wi it.

When we get hame Mrs Reilly glowered at us.

'What happened yesterday? Ah couldnae get in.'

'Nae idea whit yer talkin aboot,' Sam says.

'You don't really think ye'll get away with this behaviour?'

We ignored her.

The next Monday Sam grabbed me again.

'We better no,' ah says, although it wis guid gettin the money.

'She'll no dae onythin,' Sam says. 'She wants the money. If we let her get a couple eh days a week she'll be happy.'

This time the bangin wis harder an longer. 'Ah'll be tellin yer mother,' wir her partin words.

'She'll no,' says Sam.

She did. As soon as Maw got through the door the phone rang. We ran.

It wis late when we got hame. Maw curled up oan the settee wi her goonie oan. Her hair wet, her eyes puffy. She looked auld.

'Mrs Reilly's no coming back. But it doesnae matter. Ah've decided ah'll quite like jail. You two can go tae hell.' An she went tae her bed.

MRI

'IT WILL JUST be like being in a sunbed,' says the bonnie wee nurse, whose name is Lisa, by the way.

Ah remembered a time ah hud a go at a sunbed. Chuddy's maw hud yin in thir hoose an we aw hud a go. It wis scary as fuck. When the coffin lid came doon, the light sparked bright but we hud wee googles tae protect oor een. It's best tae keep yer een glued shut.

Well this wis nuthin like that. This wis fuckin terrifyin.

They gave me a button tae press. Ah hud this paper towel goonie tae wear. Ah wished ah hudnae worn my red baggy boxers the day.

The wifie operatin the machine reminded me again eh the panic button. Just the name made me panic. When the bed stertit tae slide ah tried tae close ma een but ah hud a wee keek an the lid wis right there an ah stertit tae shake an a voice says, 'Keep still please.'

Ah nearly pished masel when this bangin stertit an ma shakin kept up an ma haunds sweatit an ma mooth dried up an ah felt a trickle eh sweat at ma bum crack an the bangin gans oan an ah opened ma een an couldnae breathe an ah panic.

Ah hud tae get oot, ah hud tae get oot, an ah pressed an ah pressed.

'Let me oot, let me oot,' An nuthin happened an ah screamed, 'Get me fuckin oot.' The table moved. The wifie came ower an pit her haund oan ma airm.

'Are you OK?' But thirs a worried look oan her face an ah wis shair she'd seen a brain tumour. But then she says, 'I don't think we're going to get much from this. We might huv to do it again.'

An ah says, 'Get tae fuck.'

'I'll get the doctor to give you a sedative.'

So ah huv tae wait in this wee changin cubicle clutchin ma bag eh claes while the wifie gets oan wi pitin mair folk through her torture tunnel. Eventually a wee lassie who ah swear could huv been in ma cless at skill, came tae tell me she wis the doctor. An orderly wheeled me tae a side room an the wee lassie stuck a needle in ma haund. Alan arrived tae take ower fae the crew an hurls me back tae the torture. Ah stert tae feel aw mellow as if ah'd just hud a wee guzzle eh a bottle eh Becks. They laid me back oan the board. Alan telt me tae listen tae the music – he pit oan Pink Floyd, as if he kent. (Ah fund oot efter that Maw tipped him a hint eh ma music – pure classic Mawness). He pits an eye mask ower me an Echoes is nearly feenished when they trundle me oot. By the time ah get back tae the ward ah'm ready fur zzzs

The doctor man came roond in the mornin.

'Well your results are clear Gavin, we just wanted to check when we heard you had a recent episode of labyrinthitis.' He peered ower his glesses at me. 'This couldn't have contributed to your fall?' Ah shook ma heid. This dude wis that posh he seemed tae silence me wi just a wee raised eyebroo. 'We had to check there was nothing sinister to contribute to your recent bout of dizziness.' He spoke tae me as if ah wis a grown up. But ah suppose ah um a grown up. He looked through ma notes again. 'You are healing well Gavin. I expect you to have a full recovery.'

*   *   *

Oor Sam brought me an *Auto Trader* last night. It wis a month auld an pretty tatty, like it hud been oan the flair eh his Metro fur weeks an been scuffed aboot wi aw the pals he takes cruisin roond the toon, but nae matter, it wis great tae get.

It's funny – aw they books the skill tried tae get me tae read wir like gobbledygook but the *Auto Trader* wi aw they cars an vans fur sale, the mileage, sales prices, descriptions, wir easy tae get ma heid roond.

'How ye daein onywey?' Sam says.

'Aw right. Maw says ye've flitit.'

'Naw, flittin at the weekend. Maw's hirin a van fur me an helpin me clean ma flat. It's a pure tip.'

He showed me the brochure eh his new place. It's a hoose, mid terrace, a bit like oors but in anither village.

'You must be daein aw right.'

He disnae say onythin fur a while. Then, 'The boys at work ur askin fur ye.'

'Aye? Tell thum hello fae me.'

He sort eh shuffles a bit then gets up tae leave. Ah sterts rifflin through the pages just tae show him ah'm interestit in the mag.

'Maw says yer workin hard oan yer theory test.'

'Aye, ah um. But aw this writin malarkey hus gien me another idea.'

'Aye, what?'

Ah dinnae say onythin coz ah can see he's no really interested so ah haund him ma pen.

'Sign ma cast.'

An he draws a wullie an hairy baws an ah wished ah hudnae asked him.

'Ah really need tae pass ma test,' ah says.

'You will,' he says as he leaves.

Berry pickin/Tattie howkin

NOW, AH AYEWEYS thought this happened awwhere but apparently maist tattie howkin an berry pickin occurs in the Fife area, which wis great fur us.

Berry pickin comes first durin the skill summer holidays. First time ah asked tae go Maw says no.

'But awbudy goes.'

'Does Ellen Cruikshank go?' (she wis the skill swot) 'Or Marilyn Martin?' (heidie's daughter). 'And what about Sam? He's older than you and he's never been.'

'That's coz he's lazy.'

'Ye can go if Sam goes tae look after ye.'

'Ah dinnae need a babysitter.'

She shrugged.

'Nae wey,' Sam says.

'Please, please.'

'Nut.'

But he asked her fur me, coz he wantit rid eh me so he could get the hoose tae hisel fur him an Beans tae get uptae nae guid. She still says no.

'Ye'll get peace tae dae yer studyin at the weekend,' he says.

'Ah'll clean ma room,' ah wheedled.

'You should be doing that anyway.'

'Ah'll wash yer car when ah get hame.'

Ah could see she wis stertin tae crack when she looked oot at her mingin car that hudnae been cleaned since she bought it.

'An hoover it,' ah adds. 'Please Maw, ah'm auld enough. They stert folk at twelve an ah'm nearly thirteen.'

'Yer da would niver huv allowed it.'

Sam snorted at this an ah kent how he felt. Ma da wid let us go now if he thought he could tap money aff us fur the pub.

'There's tinkers and tramps go berry pickin,' Maw says.

'Chuddy went last year an made a packet. Please Maw. If Chuddy can dae it withoot gettin a doin so can ah. An think eh the experience. The man picks ye up at the hoose. You'll be able tae see the van yersel. It'll be fine.'

'Oh all right, if only tae give me some peace. But only this week we're gaun on holiday next week.' Did we no ken this? A bowfin caravan in Wales. Ah didnae even ken where Wales wis. It wis bound tae be pure rank.

Ah set ma alarm fur five. Maw wis already up, makin me chopped ham an pork pieces an a flask eh tea.

'Juice's fine,' ah says. So she made up a bottle eh dilutin Kia Ora fur me.

Ma belly fair fluttered when ah left the hoose. Even though it wis light thir wisnae onybudy in sight, aw quiet apart fae the clinkin eh the milk laddies in the next street.

An then ah heard the soond eh an engine but droonin that oot wis the soond eh Chuddy's massive addictive belly laugh. A red truck rounded the corner. It wis an open box truck an huddled in the back wir half a dozen wee laddies an a couple eh lassies. Maist ah recognised fae Hollyburn.

'Jump oan the back,' the driver shoutit. Then he hung oot

the windae eh his cab an shouts back. 'And if that clown disnae shut his pus, he's gettin thrown in a ditch. Daein ma heid in, so he is.'

Ah jumped oan the tailgate an several pairs eh haunds grabbed an liftit me oan.

Ah gets ah seat up near the cab an just managed tae get a lean oan the side. It wisnae sae bad at first but wance we wir oot the village an sped up we wir aw rummlin aboot like sweeties in a jam jar. Elbaes, legs an haunds aw grabbin oan tae onythin tae stop ye faain oot.

'Aahya!' Sumbudy elbaed me in the een. Ah managed tae scrabble intae the corner, curled up intae a baw an hoped fur the best.

We swung by two mair villages oan the wey. Chuddy needed a pee an stertit hammerin oan the cab.

'Ah cannae stop oan the motorway.'

'We're aw burstin,' sumbudy else shoutit.

The driver stopped an we aw piled oantae the motorway verge. The lassies giggled fae the truck but they must huv been burstin an aw.

When we got back oan aw the lassies hud bagged the best seats an Molly Tinney, this big bruiser fae The Valley, wis huvin nae snash fae us boys.

'How much longer?' ah asks Chuddy.

He checked his Casio. 'Half an oor.'

'We've been gaun that long, ah thought the berry fields wir in Fife?'

'No Fife, ootside.'

At last we stopped in a field wi rows an rows eh bushes heavin wi berries. This wis gaun tae be a dawdle. It wisnae like the piddlin wee raspberry canes Papa hud, where ye hud tae crawl aboot under aw the bushes tae get the berries the burds couldnae get tae.

We lined up an wir each gien a basket.

'When that's fou, bring it back here,' the basket man says.

It took ages tae fill the first basket coz the berries wir delicious an Chuddy kept stealin mine, pittin his big grubby paws in ma basket an squashin thum so they too wir only guid fur eatin right away.

Thir wis a gang in the next row. Bigger, mebbe fourteen year auld. Dirty, wi scabby haircuts an pasty faces like this wis the first time they'd been ootside aw year.

They kept shoutin at us. 'Smelly westies, fuckin westies.'

'Whit's aw this aboot westies?'

Chuddy kept his heid doon. 'Ballingry boys. It's coz we're fae West Fife. Ignore thum.' Which wis a revelation fae Chuddy, the only man who could stert a fight wi his ain skill bag. But ah dae whit he suggestit an keep ma heid doon.

We didnae really get a brek which wis just as well coz ah ate ma pieces oan the truck comin up. We loused at three an the basket man haundit me ma money. Seven quid, no bad considerin aw the eatin ah'd done. Ah wis pure sick eh berries so ah kent ah'd make mair next day.

When ah gets hame an wafts the notes in front eh Sam's face, his een turned green.

'Ah'll come the morn.'

He wisnae guid at gettin up. Maw wantit him tae go so she kept shoutin at him tae get a move oan. He eventually dragged his erse oot eh bed an intae the street in the nick eh time tae catch the truck.

Maist eh us wir wee but thir wis also a load eh big folk, maws an das tryin tae make extra holiday cash. So Sam fittit in wi thum, coz he could turn it oan when he wantit tae. He curled up in the corner eh the truck an slept the hale wey.

When we arrived the Ballingry boys hud awready stertit.

'They're in oor bit,' Chuddy shouts as sin as we get aff the truck.

'There's plenty tae gan roond,' says the man haundin oot the baskets.

Sam sets to. Ah swear ah've niver seen him movin sae fast in ma life. He rattled up an doon the rows fillin basket efter basket.

The day wis warm an sunny an the air wis buzzin wi the soond eh bees an Chuddy laughin an the Ballingry boys hurlin abuse at us.

Sam loused at twelve, haunds his last basket tae the man, demands his money then gans intae the far end eh the field, stretched oot fur a sleep. He could huv been oan a beach holiday.

Sumbudy, it might huv been Jinty Morrison, yelped. Thir wis a splatterin eh berries oan her tee shirt. She pit her haund intae her bucket an flung a squidgy mess at yin eh the Ballingry boys. He hurled a haundfae back, missed her an hit Wullie Crumbly. Next thing thir wis berries flyin aw ower the shop.

'Oi,' the basket man roared.

But the air filled fou eh berries an shoutin an cursin aw up an doon the rows an although ah'm shair we aw heard him naebudy took ony notice eh the basket man. The big folks at the other side eh the field stopped an looked an grabbed thir baskets an hurried tae the crate.

It didnae take long fur a basket eh berries tae disappear in thon bloody battlefield an we wir sin empty an covered in juice, so we stertit divin through the bushes like Commandoes.

But they Ballingry boys wir fierce an ah got beltit oan the

nose an ma blood mixed wi the berries. The red truck came hurtlin through the rows an gets waded in.

'Westies, get oan this fuckin truck NOW,' oor driver shouts.

Oot the corner eh ma een ah spied oor Sam rise, stretch an saunter ower tae the truck.

'But we've no got oor money,' ah shoutit at the driver.

'Aye, oor money,' the rest shoutit.

The basket man roars, his face purple. 'Ah'll gie ye money. What aboot aw they wasted berries. Get the fuck off ma field an dinnae come back – ever.'

'It's oor money.'

'And ma berries, now fuck off.'

So we aw trooped oan tae the truck.

'Ah've a guid mind tae dump ye aw in Kelty,' the driver says.

Sam bagged the corner seat again an just shook his heid.

'Did ye see the state eh the big bruiser that got me?'

'Aye, ah pure got him back in the pus fur ye Gav,' Chuddy says.

'Hey, but it wis rare fun,' an we aw stertit laughin. Efter a while we didnae care that we didnae get money. We'd hud a great adventure. An ah steyed happy until we got dumped in the village an oor Sam pou'd a fiver oot his pocket an waftit it in ma face.

'Loser,' he says.

When Maw sees the state eh me she says, 'Ye're no gaun back.'

'Oh, aw right Maw.'

October is tattie howkin time. Maw telt me when she wis wee awbudy skived the skill tae go tattie howkin an the authorities couldnae dae onythin aboot it, thir wis too muny tae punish, so they decided tae gie aw the Fife bairns a week aff in October.

'Granny and Papa niver let me go,' she says. An ah suspectit that wis why she let me go even efter the berries wir a disaster.

Now tattie howkin might be harder an caulder than the berries but it wis better coz aw the fields wir roond aboot the village. The fermer picked us up in his tractor an trailer an it wis only folk we kent in the fields. Nae Ballingry scum. Although sumtimes The Valley boys came up.

But it wis worse an aw coz the grund wis sumtimes frozen an yer haunds got clarty an yer back got sair bendin. But Maw made me a flask eh Heinz tomato soup an buttered Stephen's rolls an when Maw wis still at work ah could come hame an huv a big roastin steamin bath an hot dogs, she ayeweys hud hot dogs in the cupboard. An coz ah hud loads eh dosh ah'd buy hot pakora fae Azid's shop an spend the efternin curled up oan the settee wi Tilly the dug moochin fur scraps, an life wid be guid fur a while.

Wance ye get a taste fur real wurk an proper money in yer pocket thirs nae gaun back. Sumtimes ma maw hus these genius sparks an whit she did efter the childminder business sorted loads eh troubles but stertit a hale other ball game.

When ah wis young ah niver gave much thought tae whit ah'd dae when ah left the skill. The pits wir aw shut an the dock-yaird wir layin folk aff coz aw the Navy stuff wis gettin shiftit tae Englandshire.

Afore ah went intae third year we got sum career sessions wi this wee bloke wi specs an a bad combover. He also hud dandruff an white froth roond his mooth – he'd no much gaun fur him.

'What would you like to be Gavin?'

Ah wantit tae say a millionaire but ah kent that wis far-fetched so ah says the next best thing.

'A deep-sea diver, sir.'

He just laughed an telt me tae be realistic even though ah ken fur a fact that thirs a guy up in the new hooses who is a deep-sea diver oan the rigs.

The skill organised a career fair. In the gym hall aw these stands wir set up: Banks, Polis (awbudy gave thum a wide berth), Airmy, Fire Brigade, Airforce, Navy. The career man tried tae push awbudy in ma stream tae the Airmy table. But ah kent they just wantit cannon fodder. Ah'd watched aw the news durin the Gulf War so headit tae the Air Force.

'How dae ye git tae be a jet fighter?' ah asked the man. He sort eh sniffed an said ah'd need qualifications.

'Why?' ah asked.

'You just do, go to the Army stall. They offer training for all sort of jobs.'

'Naw, yer aw right pal,' ah says, an sauntered aff.

Ah niver reckoned ah'd end up workin at Maw's work.

Gless

Maw managed tae get the polis aff her back by gettin me a job at her work.

At that time, afore she got her fancy job, she worked in the offices eh a double glazin firm in the toon. No yin eh they wee bandit companies mind. This yin wis big, used tae sponsor Aucheneden Wanderers at wan time. Dinnae ask me whit she did in that office but when she got her studyin books oot she seemed tae huv tae dae big scrawlin sums. Thirs a gless workshop next tae the big offices cried Speedy Fix. Onywey, her boss wis fed up eh her ayeweys huvin tae gan up tae the skill tae see Miss Lamont, (me an Sam's guidance teacher), an bein tired coz eh the polis an that. He telt her tae get it sortit. She didnae tell me this. Dod ma new boss did.

Maw gans tae Dod wan day an asks if he needs onybudy tae help an he says 'aye'. It's just doon the road fae the skill so braw an handy. The workshop's big, aboot the size eh a Kwik Fit garage. Six squads eh journeymen an apprentices. It wis ma job tae wash the vans an clean the yaird. Thirs a tap oan the side eh the building an ah hud tae drive the vans tae it an even though ah wis only thirteen at the time ah wis a great driver, ah could turn yin eh they Merc long bases oan a penny. They wir ayeweys spotless by the time ah finished thum. Sumtimes the managers brought thir cars up tae the washin space an ah'd wash an valet thum fur extra cash.

Dod's a great boss. He's quiet, hus a daughter, nae wife but naebudy speaks aboot why that is.

'Gav, whit the fuck ye daein?' he says, meanin vans.

'Done thum,' ah says.

'Well, get a fuckin brush an sweep. Delivery's due, help Barry wi that.' Barry's real name is John but he's massive wi this deep voice so awbudy cries him Barry efter sum fat singer. Ah got tae work wi aw the squads. Thir wis ayeweys slips eh paper in the vans that ah collected an haundit tae oor office lassie, Maw's pal, Janey. She wis the only lassie in the office an awbudy wis scared eh her.

Ah loved workin there efter skill coz they hud days oot an ah wis allowed tae gan tae.

Wance, afore ah worked there, Maw got drunk at wan eh they days oot an asked the big-big boss if me an Sam could get a shot in his Lamborghini an he says 'aye'. When the day came, oor Sam didnae want tae go. (Telt ye he wis a plank). So me an Maw went. It wis a Setterday mornin an Davie, the chauffeur, wis that kind tae me. The car wis unbelievable. It hud white seats that smelt like Granny Annie's best handbag.

Davie wis fae England an smiled aw the time even when the big-big boss swore at him. Well, wid you no smile aw the time if yer job wis drivin aboot in a Jag, Landcruiser or Lamborghini?

'We'll just take it nice and easy,' he grinned. So ah settled doon in the seat feelin like ma erse might touch the tarmac if ah got ony lower. He drove up the motorway nice an canny then points.

'See that bit there, that's where the police sit,' he says. 'Oh, shame, they're not there.' Then pits the boot doon an whoosh, next thing ma cheeks wir poppin oot the back eh ma heid as ah watched the speedo creep past 150mph. Jeezus! It only lastit a meenit but man it wis rare.

Maw hud tae work that Setterday mornin so Davie says he'd take me hame. Ah sumhow forgot exactly whit street ah bided in an Davie hud tae drive roond the village a couple eh times lookin fur the hoose. Aw the while ah waved tae awbuddy, Chuddy an Granda Joe, even ma da an aw the gang hingin aboot doon the bus shelter. Priceless.

Sam stuck tae his room the rest eh the day sulkin, even though he could huv been.

Maw niver took ony dig money fae me. Ah think she wis just gled she could see whit ah wis up tae. But of course her plan back-fired coz even though it got the polis aff Maw's back, Sam hud the run eh the hoose an that's when Beans took control. Beans is a year aulder than Sam an king eh the block.

Now, dinnae get me wrang, ah ayeweys liked Beans, he wis a guid laugh an feart eh naebudy, but he pure scunnered me when he did they creepy phone calls tae Maw. She niver telt us whit he said tae her but she telt oor Sam she recognised his voice an Sam wis tae tell him if he ever came near oor hoose again she'd phone the polis. But who listens tae thir Maw. No Sam that's fur shair.

*   *   *

Ah've been starin oot the windae fur ages. Ah've hud anither pop at the theory test practice an ah'm stertin tae get the hang eh it. Ah reckon ah'll pass nae bother.

Ah've also been lookin at the notebooks ah've filled. Charlie Bear is sittin in the corner eh ma bed waitin oan the next instalment but ah'm no shair ah want tae write the next bit.

Granny's just been in wi sum crisps.

'Ah cannae huv thum, thir prawn cocktail flavour.'

'Huh,' she says. 'Is this your mum got you on one of her crank diets again?'

Ah ken whit she means. When ah wis wee Maw wis ayeweys gettin pou'd intae the skill aboot ma behaviour. Ma da used tae say she wis neurotic, but ah dinnae really ken whit that means. Wance she joined this hyperactive group. They sent her a wee booklet wi a list eh food that wis aw right fur me tae eat. An she stertit oan this regime, bannin food. Nae bought cakes or biscuits. Hamemade lemonade the only juice ah could huv (which wis rank ah huv tae say). She made aw ma packed lunches hirsel which wis pretty pointless coz the meenit ah got tae skill ah swapped thum wi Chuddy fur his sausage rolls an Tunnock's Caramel Wafers. Maw couldnae understaund why the diet wisnae workin. Mind you she wis pretty happy when ma teacher, Mrs Watson, asked Maw the recipe fur her oatie biscuits.

Ah look at the prawn cocktail crisps an say tae Granny, 'Naw, it's no a crank diet, ah just dinnae like prawn cocktail.'

'Suit yourself,' she sniffs an leaves thum oan the bed like it's a test or sumthin.

Brekin Gless

THINGS STERTIT TAE get a bit ugly efter Sam got right in wi Beans.

The skill wis sick eh him ayeweys skivin. Every night Maw drove me hame fae ma wee part time job (except oan a Wednesday when she went tae night skill an ah helped Azid make pakora that day). Sum days she'd be quiet aw the wey hame, wance in the door she'd chuck her bag doon an stert oan him.

'Ah had to go see Miss Lamont again today.'

He'd just ignore her but ah'd be in the middle coz ah'd then huv tae wait oors till she's cooled doon an stopped bangin pots an pans aboot afore makin ma tea.

Then he got a work placement an it fair pit a wee shine oan his step. Ah wis completely gobsmacked the first day. Maw normally bawled at us, 'Get dressed – get oot that bathroom, get oot the door. Yer makin me late fur work.'

But that morning Sam wis up first.

'Mornin,' he says, aw chirpy like, as he's pourin oot his ain cornflakes. He'd even brought the milk in aff the doorstep an let Tilly oot the back fur a pee. Whit the fuck wis gaun oan?

An he wis smilin – let me say that again – smilin. It wis a wee bit scary tae tell ye the truth.

It wis a garage – his placement. Mind aw they times he tinkered wi motor bikes, managed tae get complete wrecks revvin sweet enough tae mebbes compete in the TTs. Well this time it wis fur real. He almost skipped oot the door away fur the service bus.

He wis there fur a week. He hud tae stert early but me an Maw wud pick him up after oor work. He'd be waitin at the garage gate, tired but still smilin.

'Ah luv it,' he says the first day an the next, an the hale week.

'Aw, that's great, Sam,' Maw wid say. 'Ah'm so happy you've found something ye like.'

'Ah dinnae want tae go back tae skill.'

'Ye niver go onywey,' ah chips an get a clout across the heid fae him.

'They've asked me tae go in at the weekends an during the Easter holidays.'

'Aw, that's brilliant son.' Maw smiled an ah realised then that it hud been a while since ah'd seen that. It wis as if that smile washed her face clean eh worry.

'They say ah can mebbe work there if ah get tae leave skill early.'

'Aw, that'll be great,' Maw says again. 'Just don't blow it.' She can be awfy harsh oan oor Sam.

'Whit? Why dae ye say that?' An whoosh, just like that he's ragin. 'Ye ayeweys huv tae spoil things.'

'Aw, sorry son, ah'm just sayın.'

'Well dinnae.' An it took a while fur baith they smiles tae come back. But ah wisnae bothered coz fur wance we wir aw workin an ah hud money in ma pocket an that night ah wis gaun tae ask Cathy McGlynn oot (but ah'll keep ma love life tae masel if ye dinnae mind.)

When we gets hame Sam louped oot the car an slammed the door. 'Nothin is ever good enough fur you,' he says, still bealin.

But he wis smilin next day coz the garage folk gave him a glowin report an they asked the skill if he could leave early coz they needed sumbudy right away. An the skill says 'aye' coz ah reckon they wir gled tae see the back eh oor Sam.

They gied him an apprenticeship.

That summer wis the best ever. Ah wis workin, oor Sam wis workin an Maw wis gaun tae sum summer skill tae get mair studyin done. Even Tilly the dug wis happy coz the weather wis braw an me an Cathy wid take her up the Commie an let her run while we winched roond the back.

Cru-ella must huv wondered whit the fuck wis happenin. Nae grief, nae need for the polis. In fact ah think the polis must huv hud tae stert layin folk aff it got sae quiet fur thum that summer, coz Chuddy an Geordie Munion hud stepped ower the mark too muny times an wir away fur a spell. Ah'm no sayin it wis aw sweetness an light. Oor Sam an Beans wir still tight, ayeweys up tae sumthin an word got roond that Sean Murray, whose dad wis a polis in the toon, wis sellin dope. Oor Sam got pally wi him but ah couldnae be shair whit wis gaun oan coz the lovely Cathy wis takin up ma time.

Maw wis happy back at her studyin but still jumped every time sumbudy chapped at the door.

Of course it niver lastit.

Efter the summer oor Sam wis tae go tae college.

'Imagine, college,' Maw swooned.

The new term wis weird. Bein at skill withoot Sam an Chuddy. Ah got in wi sum new pals. Merkie an Boo. They didnae smoke an wir ayeweys gettin oan tae me tae stop. Merkie's da wis a boxer but best of all Boo wis Cathy's cousin. She steyed in Hollyburn but ah widnae haud that against her. She went tae the Catholic skill an wis clever, which wis great, coz she'd dae ma homework fur me at night an chuck ma jotters oot the bus windae in the mornin coz the Catholic bus passed first.

Every Wednesday Sam went tae college but efter a couple eh weeks ah stertit tae notice stuff. Mind how ah came straight hame oan a Wednesday coz ah worked in Azid's shop – well, a couple eh weeks intae the term ah came hame fae skill an noticed sumthin funny. The dug wis in the street dodgin cars an aw the windaes in the hoose wir open. Ma hert wis thumpin, whit if there hud been a burglary an the telly wis away. Ah opened the door. Mooth aw dry. The telly wis there but the hoose wis stinkin eh smoke an sumthin else.

Ah shut aw the windaes an by the time Maw came hame fae her college awthin wis soond an she didnae notice. This happened a couple eh times. Ah ayeweys pit the hoose back tae normal afore Maw got hame so she steyed none the wiser an ah feel ah bit bad aboot that, coz whit came next wis a shock tae her, oot the blue.

Wan Thursday she wis quiet aw the wey hame. She gans intae the hoose, Sam's awready there, heid doon.

'Gavin, go roond tae the shop for some frozen chips,' she says, haundin me a pound. Ah skipped oot the front door, ran up the close an in the back.

'Well, what do you have to say for yourself?' her voice that scary quiet wey, ah could hardly hear.

'What ur ye talkin aboot?' nips Sam.

'You know damn well. You've been skiving college.'

Aw, fur fuck sake Sam – eejit.

'Only once.'

'Don't lie, and stop treatin people like idiots.' Silence. 'Why Sam? You love that job. These people are good to you. It's a small business. They pay for you to go and you repay them by skivin off. Where did you go?'

Ah could huv answered that fur her.

'You've been hangin around with Beans again?'

Still Sam says nuthin.

'From now on you go every week. And no hanging around with Beans.'

'Ah cannae.'

'Why not?'

'They've sacked me.'

'No, oh no Sam. You idiot.'

'Don't call me an idiot!' he shoutit, then quieter he says. 'Would you phone them? Ask them to give me ma job back. Ah promise not to do it again.'

She probably did phone but it didnae work coz he niver went back but hung around the hoose. So insteid eh a Wednesday it wis every night, me an Maw wid come hame tae a hoose stinkin eh dope.

Remember how ah said Sam could niver take a tellin.

She'd roar at him. Aw the cutlery disappeared oot the drawer an lay, burnt, tarnished in the back gairden.

'You are not turning my house into a drug den. Your brother should not have to live in this stinking smell. This is my house. You obey the rules of the house. If not, you're out.' Ye ken aw that sort eh guff maws scream at thir kids that makes not a blind bit eh difference.

He just ignored her.

'Ah'm phonin the police,' she says one night when we hud resorted tae eatin oor dinner wi chopsticks, hopin the new cutlery set fae Brian Mills would arrive sin. 'Ah'm gaun tae report that drug dealer, Sean Murray. Ah'm not carin who his dad is.'

He just ignored her.

The polis did arrive wan night. Yin ah'd niver seen afore an no yin eh they stupid rookies. Sam wis in his room. Again she tried tae get rid eh me wi a message fur ma Granny Annie but this wis better than *EastEnders*.

'I believe my son's taking drugs. Is there anything you can do to help me?'

Jesus Maw. Ah couldnae believe she wis shoppin him tae the polis.

'Does he have any on his possession?'

'Ah don't know.'

'We'd need to search his room.'

'Go ahead.'

Whit the fuck? She'd gone mad.

'You realise if we find anything he could be charged?'

'I just want him frightened.'

'Do you want us to take him into the cells? Keep him overnight?'

'No, don't do that.'

'I'm sorry Mrs Smart, I don't know what you want us to do.'

'Can't you just talk to him? Frighten him?'

The polis man sighed, 'I'll talk to him.'

'What about Sean Murray? He's the supplier. His dad's a policeman.'

'That's a serious allegation. Do you have proof?'

'No, yes, ask anybody in the village. You must know.'

'We can't act without proof.'

In the end he went up tae Sam's room an hud a word wi him. Then left.

Right efter Sam came bargin doon the stairs an went right up tae Maw, ah swear ah thought he wis gaun tae blooter her.

'You ur unbelievable,' an he slammed oot the door.

Next day when ah gets hame the doors ur locked an oor Sam's no lettin me in. So ah threw ma skill bag at the porch windae – just tae make a point, ye understaund. Fuck me! Did it no brek intae a big starburst.

Ah thought Maw wid go radge when she came hame, but she wis as calm as a corpse. She opened the back door. Opened aw the windaes. Sam's lyin oan the settee watchin *John Craven's Newsround*. Pot Noodle pot tipped oan its side.

'Sam, go and get your stuff, get out my house and don't come back.'

'Are you mad? Where will ah go?'

'That's your problem. You've had enough warnings. You are not treating us like this. You're not treating my home like this. Get out.'

An he went, withoot takin ony stuff. He came back later but Maw wouldnae let him in.

'Can ah get his room?'

She perched oan the settee wi her haunds ower her face.

'Do what you want, Gavin.'

Ah did feel a bit bad. Ah hud his gear moved intae ma wee box room an ma stuff in his bigger room afore he hud a chance tae come back fur a change eh breeks.

Granny Maureen took him in but he hud tae share a room wi ma da, until Da got his mingin flat. Ah bet Maw wis popular in that hoose. When he came back fur his stuff an seen whit ah'd done he punched me in the guts.

'Aye, got whit ye wantit, ya wee sook. Got yer mammy aw tae yersel.'

'She did warn ye.'

*   *   *

At the time ah thought whit Maw did tae oor Sam wis pretty harsh but now ah reckon she did him ah big favour. Ah mean, look at the wee hoose he hus. He's sortin hisel oot although he still disnae take a tellin.

But ah cannae help thinkin that polisman might huv done mair tae help. It wis obvious even tae me that Maw wis at her wits end.

Writin this doon hus made me mair determined tae get better an move ma plan intae action. Alan wis happy wi me the day. Says ah can stert tae dae mair, so when Merkie came tae see me the night ah asked him tae speak tae his da aboot trainin wance ah'm oot eh here. Merkie says ah could probably stert oan ma upper body now.

Maw went a bit weird efter she chucked Sam oot the hoose. Bought a push bike which ah hud tae teach her how tae go. Imagine bein that auld an no bein able tae ride a bike. She stertit playin her music really lood which pissed aff Cru-ella mair than me an Sam ever did.

When we wir wee Maw ayeweys hud music playin. Classical sumtimes. She didnae work then an we'd come hame fur lunch an she'd huv this weird music playin but sum eh it wis guid. Ah cannae mind ony names except wan. The Great Gates Of Kiev, ken, like the chicken. Ah loved that tune. Ma da ayeweys swiped her music aff the meenit he stepped through the door.

Ah've just remembered sumthin else. Wan day ah wis rummagin aboot in Maw's wardrobe lookin fur blank tapes. Thir wis this yin wi 'tarot' writtin oan it. Ah dinnae think it hud been there long coz it wisnae there that last Christmas when ah wis huntin fur pressies. Ah played a bit eh it (well who widnae?) Onywey thir wis this wifie tellin ma maw aw this stuff aboot cups an swords an empresses. The wifie said that Maw wis at her lowest point, things wir gaun tae get better. Thir wis a sun an a chariot an that meant Maw wid traivel. Ah nearly taped ower it but thought she might need it wan day so pit it back. Spooky or whit, eh?

Fearless

EVER BEEN OAN a bus tae Germany? Ah huv. Maw took me tae see Pink Floyd years ago. Now, ye might no think that's aw that excitin but when ah tell ye whit happened ye'll mebbes think again.

Ah huv nae idea how she could afford the trip. Mebbe she got a bonus fae work, she spent enough oors there. Or mebbe she maxed oot her credit caird like she did every Christmas. Or mebbe she borrowed fae Papa. Ah think that's what she did when things grew desperate. But ah wis pretty shair that wisnae it. He might be her da, but Papa wid niver lend her money tae gan tae a concert in Germany.

Whitever. She only hud me tae pey fur by that time coz as ye now ken, oor Sam's chucked oot the hoose.

The first hurdle wis the passport. Baith me an Maw wir oan this faimily passport fae the time efter the redundancy an Da took us aw tae Tenerife back in the days when we wir a faimily. The passport folk telt Maw they needed that yin returned afore they'd issue anither. Ah earwigged her phonin Da tae ask him fur the passport. Ah wis sittin halfwey up the stairs watchin her squirm an wonderin whit he wis sayin, waitin fur him tae ask aboot me an Sam but he niver did – bastard. Ah could tell she hated daein it, her neck went aw yon rid wey it dis when she's no happy. She didnae say much, just noddit an pit the phone doon, dead gentle like.

'He says he's burned it,' she says, kennin aw the time ah wis there. 'And every other thing that had ma face on it,' she adds.

'That's a lie, Maw, coz ah went tae his manky flat efter skill yin day. When he nipped tae the bog fur a slash ah hud a swatchie in his bedroom an thir wis a photo eh ye oan the dresser.'

Her neck went deeper rid. 'Why didn't you tell me Gavin?'

'Ah'm tellin ye now.'

So she gans an asks Granda Joe tae help. He wis the only yin ma da wid listen tae. Joe gets it back an oor new passports came in the post a couple eh weeks later, aw red an shiny.

Next Maw hud tae write tae the skill. Ah think she telt thum she hud the chance tae take me oan a cultural visit tae Germany. We wurnae leavin till the Thursday night an back oan the Monday so ah only missed two days. The skill probably thought it widnae make much difference tae me onywey, the term hud just stertit an ah wis oan the bottom rung.

Granda Joe drove us tae the pickup point in Edinburgh. Maw's pal Janey wis waitin fur us. Janey looked that braw. This day she wore a lacy top an her tits looked like pineapples. Ah couldnae stop lookin at thum even when she clipped me oan the lug. She wis fae The Valley an hud a clout like a miner's shovel.

The bus wis a single decker, wi a tottie kitchen an toilet doon sum stairs. Ah wis the youngest oan the bus an Maw wis the auldest, awbudy else wis late teens an twenties. Mind you Maw wis only thirty odd an didnae even look that auld. Ah wis shair she could fund a rich man if she tried harder. Nae rich men oan this bus though, that's fur shair. It wis greasy hair an plooks aw roond.

We didnae huv much luggage coz Maw stuffed aw oor gear intae her hikin rucksack. We fund oor seats an wir aff. Ma belly louped wi excitement.

In they days sum bus firms let ye smoke oan buses; the backseats oan single deckers an upstairs fur double deckers. We'd nae siner passed under the castle ramparts when the back eh the bus stertit oan the wacky backy. Maw just looked at me, niver said a word but we baith kent whit wis oan her mind oan account eh oor Sam. There wis two drivers an yin went up the back an telt thum tae get rid eh the dope, pronto. Efter a while though he gave up tellin thum.

Efter it got dark the driver pit the lights oot.

'Try to get some sleep, Gavin,' Maw says.

'Ah'm hungry, when dae we get oor dinner?'

'We'll get a snack at the next stop.'

Ma belly wis pure rumblin. They sold Pot Noodles oan the bus an ye could go doon tae the wee kitchen bit an pour hot water oan thum. Awbudy else wis gettin wired intae the noodles.

'Can ah huv a Pot Noodle?'

'They're rubbish,' she says. 'Ah'll get you something decent when we stop.' Little did she ken then that she'd change her tune oan the wey hame when she wis totally skint – it wis Pot Noodles aw the wey then.

Ah waitit till she wis sleepin an ah bought yin onywey wi ma ain money an the tenner Granny Annie hud bunged me tae keep tae masel.

It wis still night when we got oan the boat an ah wis gobsmacked when Maw bought me a bottle eh Becks tae go wi ma macaroni an cheese. Ah looked roond tae see if onybudy noticed but ah wis big fur fifteen an naebudy seemed tae gie a toss.

Janey managed tae bags us three seats thegither an Maw telt me again tae get tae sleep. But thir wis a pipe band oan the boat an ah couldnae get a peep eh sleep fur aw the skreechin an skirlin. So ah waits till Maw wis snorin again an went in search eh fun.

In the arcades ah fund sum other laddies fae the bus. They wir a couple eh years aulder than me. Chintzy hud bumfluff oan his chin an ah could tell by the wey he kept scratchin it that it wis pure botherin him. John's breath wis rank like he niver cleaned his teeth. They seemed sound enough though.

'Who ur the babes yer wi?' Chintzy says.

Babes?!! 'That's ma maw an her pal.'

'Aye, ah thought they wir a bit auld.' Ah didnae think Janey wid be too happy bein called auld.

'Yer gaun tae the concert wi them?' he asks.

'Aye.'

'No fancy ditchin them an comin wi us?'

'Aye, ah suppose.' An there an then a plan wis hatched.

Ah cannae mind much eh Germany, just aw trees an motorway. The bus dumped us at a hotel in sum city. The yin thing ah remember aboot that hotel wis the meenit we gets tae the room Maw ran a bath.

'Ah cannae wait until after the concert. Get in there and wash that bus smell off you before we go. We're both stinkin of dope, it's horrible,' she says. An she wis right. When ah sank intae the hot bath the wacky backy fumes rose aff me like a fog.

We wir back oan the bus afore oor hair wis dry an the drive seemed tae take oors until we hit a pure dead stop.

'Concert traffic,' the driver telt us.

Even though it wis daylight ah'd nae idea where we wir. Could huv been oan the fuckin moon. Maw haundit me a big shiny ticket – Pink Floyd live at the Hockenheim Ring, then went back tae bitin her nails an lookin oot the window. When the bus started crawlin again she says:

'Right Gavin, the Hockenheim Ring is a racetrack, it's huge. There's going tae be loads eh folk at this concert so dinnae get lost. Stay by ma side at all times.'

'How muny is loads?'

'About eighty odd thousand at least, just dinnae get lost.'

'Eighty thousand! That's mair folk than lives in Fife!'

Janey's breathin gets a bit raspy, she clawed at her throat an her face turned pure pasty. Maw grabbed her haund.

'Are you OK?'

'Did you say eighty thousand?' Janey croaked.

'It's a big area, you'll be fine.' She didnae look fine.

At last we gets aff the bus. Oor bus wis parked aside hunners eh other buses fae aw ower the shop. Chintzy an John wir right ahint me as we shuffled oor wey along wi aw the other Fifers into the crowds.

'Gavin!' Maw grabbed ma sleeve. 'There's plenty of time before the concert starts, let's get a drink and a frankfurter eh?' She gripped Janey by the other sleeve. Aw the bus folk wir tunnellin through a tottie wee gate, like the wans ye get at fitba matches. Janey stertit tae shake.

'It'll be fine when we get through,' ah says. She looked fit tae faint.

Ah wis right. Through the gate we gets tae a park like place an Maw helped Janey tae sit oan the gress.

'Sit with her,' she telt me an disappeared. In nae time she's back wi three bottles eh Becks an three hot dogs balanced in her haunds. Ah cannae believe how cool she wis bein.

The August sun beat doon oan us an the beer wis ice cauld

– perfect. Music blasts fae awwhere, the air stank eh candy floss an smoke an wacky backy an toffee an ma belly jiggled wi nerves an excitement. Pink Floyd. Ah didnae even like thum, ah just came fur the holiday but ah couldnae wait.

As mair folk poured through the gate, Maw says. 'Let's get into the concert field, get a good spot.'

We tramped through bigger gates an ah couldnae believe ma een. Eighty thousand folk streamin fae aw airts intae a space the size eh aboot six fitba pitches, fillin it like peas in a poke, aw rummlin aboot till they fund the right spot. A massive stage stretched across one end eh the field. Ah'd niver been tae a concert afore, only a pantomime at the Adam Smith Hall in Kirkcaldy. This stage wis bigger than oor street.

Maw elbaed an juked her wey through the crowd, 'Scuse me, scuse me,' she says as she wriggled past six foot bruisers, aw the while draggin me an Janey wi her. Ah tried tae shake her aff but she'd a grip oan her like a bulldog's jaw. She's only five fit nothin but can fair work through a crowd. At last she stopped tae the left eh the stage an a bit back. She pointed tae a gate right eh the stage.

'See that gate, that's where the buses are. Dinnae get lost,' she says fur the hundredth time.

The smatterins eh Scottish voices we'd been hearin aff an oan disappeared, replaced wi babble, auch tung stuff. Janey stertit daein her raspy breath thing again. An Maw let go eh me an ah grabbed her insteid coz even though ah'm nearly six feet aw these folks shovin an pou'n an towerin ower us like the aliens in Star Trek wir scary as fuck.

Then this synthesizer kicked aff, playin real slow an ah recognised the openin eh that tune Maw played late at night when ah'm in ma bed an ah can hear it through the waa. My hackles prickled an it felt like water runnin doon ma back. Ah felt Maw's haund grip mine an squeeze.

'Ah can't believe ah'm here,' she says.

An then a guy strides oan wi a guitar an did that riff 'doo, doo, dee, doo'. An ah remember the song wis sumthin aboot a crazy diamond dude an then blue arcs sparked across the stage an the music ramped up an the guitar guy stertit tae sing. The stage blinked rid an the waves eh sound roll oot fae the band like we're oan a magical beach an ma hert louped in ma chest so much ah hud tae shut ma mouth in case it landit at ma feet. When the wave stops the crowd gans mad, stompin an cheerin an ah turned roond an Maw hud disappeared. Ah wis surrounded by big folk that hud swallowed ma maw intae their depth. An ah kent that this time ah wis done fur.

Ah wandered aboot fur a bit, elbaein folk here an there but there wis nae sign eh her nor Janey. Then ah remembered the plan that Chintzy hud an ah pushed ma wey through tae the toilet nearest the first aid tent an there they wir.

'Huv ye seen ma maw?' ah says.

'Aaw, lost yer maw huv ye, ah thought that's what ye wanted,' Chintzy says.

But that wis oan the boat, when ah thought we wir gaun tae a wee place an ah thought ah could mebbe keep an eye open fur her – just in case she needed help.

'Here,' John says. 'Try this schnapps. Ye can get me one back oan the bus. Ah doubt they'll serve ye here.'

Chintzy pit his airm roond ma shooder. 'Come oan, wee man, ye'll be fine, enjoy the show, yer maw'll ken ye'll be aw right.'

'Ah suppose, whit else is there tae dae,' says I.

Tune efter familiar tune rolled oot fae that stage, louder an mair mystical than when ah'd heard thum through ma bedroom waa at hame. The concert wis ower afore ah kent it an the crowd shiftit in aw directions at wance, bumpin intae each other, aw laughin an happy like.

'Dae ye ken where the bus is?' Chintzy asks. Ah remembered the entrance Maw telt me tae go tae.

'There,' ah says.

'No, it's ower there.' An John hauled me tae anither gate where ah'm shair we'll no fund the bus.

'Aye yer right, John,' Chintzy backed him up.

'Ah'm positive it's ower there.' Ah didnae want tae tell thum ma maw made shair ah remembered so this time, when they said they wir positive, ah went along wi it. How hard could it be tae fund a bus?

Soon we wir pou'd along wi the crowd an oot a gate at a carpark an nae sign eh ony buses. A polis guy wi a gun wis standin past the gate.

'Where's the buses?' Chintzy says tae the polis.

He shakes his heid an pushed us back in the crowd.

'No, we need tae find the buses,' John tried, but the polisman just ignored us, as if we wir talkin nonsense.

'Look, we huv tae get back in.' Chintzy says. So we turned an pushed oor wey back through the crowds but this time they wir aw snarlin coz we wir gaun in the wrang direction.

'Where's the buses?' Ah kept askin folk, tryin tae ignore ma squeaky wee voice that wis gettin squeakier wi each breath. Chintzy an John wir stuck tae me like glue.

By the time we got back tae the inner gate the crowd hud thinned a bit. There wis mair polis wanderin aboot.

'Can't go back in,' one says.

Oh, now they understaund English.

'We need tae find the buses.' Chintzy says, wi a squeakier voice than mine.

John pushed me forit. 'Child,' he says, pointin tae me.

'Eh?' says me. Ah wis fuckin taller than him.

'Child. Need to find mother,' John shoutit, as if that made him soond mair German.

The polis narrowed his een at me but he moved oot the wey an pointed tae a gate at the other side eh the stadium, the yin Maw hud telt me an ah hud telt thum.

'Autobus there but all left,' the polis says.

We stertit sprintin. The stage wis empty eh musicians an filled wi men in hard hats takin doon scaffold. The park wis strewn wi aw the shite an rubbish folk just left fur wee folk in yella vests tae pick up. We got tae the gate an fell through an there wis nae fuckin buses.

'Fuck! What dae we dae noo?' John says.

'No, look!' Chintzy says. An there it wis, at the far end. The Alders of Auchertool bus, engine runnin, diesel fumes spewin an Maw staunin in front eh it wi her airms held oot wide shoutin, 'You're not goin.'

Janey an sum eh the other folk wir oot as well, standin aside her.

'Move!' the relief driver shoutit in Maw's face.

But she screamed back, her voice hoarse. 'You're not leavin him, he's only fifteen.'

'Ah'm here Maw.' Ah runs up tae her, expectin her tae belt me fur bein late but insteid she flung her airms roond me an stertit greetin.

'Ah'm niver daein this again,' she says. 'God knows how we're going tae get on in Amsterdam on the way hame.'

That trip, that new passport, wis the stert eh things fur Maw. Ah saw her as sumbudy else an every day efter that she grew mair an mair different. Gie her her due, she did try tae take me tae London fur the weekend wance but ah niver wantit tae go. So she went oan her ain an brought me an Sam back Planet Hollywood boxer shorts. Ah flung mine in the bin, ah dinnae ken whit he did wi his. An then when she gets her fancy job an traivels even mair she brings us back Planet Hollywood junk fae aw ower the world until ah tell her tae stop wi the useless crap an if she really wantit tae treat us she should bring us duty free fags, but of course she didnae dae that in case she wis tae blame fur killin us.

A catalyst ah think it's ca'd. So is that whit's been happenin tae me? Since ah stertit writin these tales ah've been seein things differently an ma heid's buzzin wi plans an ideas. But ah cannae pit that doon in ma notebook just yet coz ah'm still no shair. An thirs wan person ah need tae speak tae first afore ah can settle.

Mebbe ah should stop this now – it's gettin a bit heavy. But first ah suppose ah should finish aboot oor Sam. Ye'll be thinkin he's oot in the streets fur a while, down an out, junkie, alkie, but that's no whit happened.

A Haundful eh Gless

It wis left tae me tae sort oot coz even though oor Sam's a plank an Maw'd hud it wi him, he is still ma brere.

So, oor Sam's oot the hoose an livin at Granny Maureen an Granda Joe's. Nae job – nae clue.

But ah wis well in at Maw's work.

Barry's son wis wan eh the apprentices but hud been part eh Kirkcaldy Amateur Dramatics fur years an decidit he wantit tae try the London stage so couldnae work wi us ony mair. Barry wis a big guy so ye only ribbed him aboot that wance! It wisnae his fault he ended up wi a tapdancer fur a son. So they wir wan apprentice short.

'Ma brere needs a job,' ah tells Dod.

'Aye? And how dae ye get oan wi yer brere?'

Ah shrugged.

'Ah'll huv tae ask yer mum.'

'She's no speakin tae him.'

'Mair reason tae ask her then.'

When ah gets in her car that night she stertit right away.

'Are you mad, askin Dod tae give Sam a start?'

'Ah'm only tryin tae help. Whit's he gaun tae dae?'

'You hate each other. Working in a glazing workshop together, there'll be glass flyin everywhere before you know it.'

Ah says nuthin.

'Ah told Dod ah wisnae happy. That Sam might let him down.'

'Whit did he say?'

'He's kinder than me.' She bit her lip. 'He said you asked, you were worried about him.' She looked at me. 'Ah worry about him too. But he's so... so...'

'Stupit?' ah suggest.

'Irresponsible... Anyway, Dod said he might get on OK wi the men, they'll no take his nonsense. It might be good for him. He said you're a good lad, great wee worker. He said we should give Sam a chance, so ah said yes.'

'Aw great, can ah tell him?'

'Aye, go up tae yer Granny Maureen's when we get home.'

So that wis it sortit. Sam got an apprenticeship an things went smoothly.

Ah suppose this wis the time Maw thought it wid be OK fur her tae stert applyin fur jobs further afield, ah just dinnae think ony eh us imagined she'd gan sae far.

* * *

It wis oor Sam's birthday last week an even though it wis his birthday he brought me a present.

Ye ken how sum folk want stained gless windaes in thir front doors an top hoppers – well oor Sam got a shot at daein that in the workshop an it seems he's guid at it. He haunds me a parcel an ah open it. It's a square mirror the size eh a shoebox lid an roond the sides ur these wee roses like aw that Rennie Mac stuff ma Granny buys.

'Whit the fuck,' ah says.

'Ah made it.' He's daein that scary smilin thing again. 'Ah think Dod wants me tae keep at it.'

Ah look at masel in the mirror. Ah look shite. Skin the colour eh milk an ma heid a pure Halloween skeleton.

'That's great,' ah says an suddenly, fir the first time ever, (apart fac aw the golden boy stuff fae Granny an Papa), ah want tae swap places wi oor Sam.

He's jinglin his car keys, as if tae rub it in. 'Ma car insurance is gaun doon,' he says. Then sort eh realises an pits his keys away. 'How ye gettin oan wi yer theory?'

'Braw, ready tae sit it. Ah just need tae get oot eh here.'

'You will, wee brere. Ah'll take ye if ye want.' He gies me a wee fist bump which is a first. An leaves me wi the mirror.

Ah want tae chuck it at the door but ah dinnae. Insteid ah gie it tae Granny Annie, which is whit Sam should huv done in the first place.

The Brek

AH'VE BEEN PITTIN this aff long enough.

The worst day eh ma life. Even worse than when Cathy McGlynn chucked me.

The day ma maw took us away fae ma da came at me like ah wis struck by lightnin. She swears blind she hud been preparin us fur months. Reminded us eh when she stopped the car that time in the forest, just efter we picked up the Christmas tree. She telt us it wis the last Christmas we would huv as a faimily. Ah cannae remember that even though oor Sam dis.

So it's Mother's Day. The day stertit well enough.

When ah haund her the caird she gied me a cuddle. 'Thanks, son. Do you know the best present you could give me today?'

'No, what?'

'Ah've an exam on Thursday. It's a braw day. Can you give me some peace this afternoon tae study?'

She wis ayeweys at her books, even in they days. Ah says aye.

Sam gied her a caird an a wee box eh Quality Street. She pit the cairds up oan the mantelpiece. Da wis up early an growlin aboot the hoose. Movin furnature an hooverin roond aboot us even though he looked rough as hell. He'd just been retrained an got a new job in a factory in the toon so hud extra cash in his pooch. It wis great at first when he got the new job. Fish suppers every Friday, a video fae Azid's shop fur film night. Then the spells in the pub got longer. He stertit playin darts Setterday lunchtime again. The day afore he came hame wi a chicken he'd won at the darts an dominoes competition. Ah wis fair lookin forit tae ma chicken dinner mind.

Efter brekfast Maw ran up the road wi a caird fur Granny Annie.

Da went tae the pub fur openin time.

Me an Sam mucked aboot doon the burn, up the gravie. At one time ah run hame fur a cup eh juice. Aw wis quiet. Tilly the dug wis in the back gairden. Maw must huv been upstairs studyin, Da wis stretched oot oan the settee snorin his efternin session aff. Ah could smell the chicken cookin. Maw hud telt us tae be back by six, but we forgot an at half six Chuddy came beltin doon the wynd shoutin like a loonie.

'Ye've no tae gan hame. Ye've tae gan tae yer Granny Annie's right away.'

'Whit dae ye mean?'

'Yer Maw's packin up Jimmy's car an she grabbed me an telt me tae find ye an tell ye tae gan tae yer granny's.'

'Come oan,' Sam says. 'We better go.' Calm, like he awready kent the score.

'Ye've tae go straight there an no go near the pub.'

We run up tae oor street first. Maw's wrecky Ital's there an so is Da's Mitsibushi.

'Ah dinnae understaund.'

'Maw's car's no been startin, Gav, ye ken that. Ah bet Da took his keys like he ayeweys dis when he's no happy wi her.' He grabs ma sleeve. 'Moan.'

'No, ah'm gaun hame.' But ah fund the door locked. 'Ma da'll huv a key.'

'No Gavin, we huv tae go.'

'No.'

'Stop it, this is serious.'

An he almost hud tae drag me up the street tae Granny Annie's, takin the long wey roond so's no tae pass the pub door.

The car in Granny's drive belonged tae Jimmy fae across the road. We gan in an Granny Annie sat greetin. Papa poured her a Croft Original an hisel a big whisky. We fund Maw in the end bedroom (this bedroom ah'm in now) surroonded wi oor stuff aw ower the shop.

'Whit's gaun oan?' ah asks.

Ah spy oor Mother's Day cairds perched oan the dressin table an this big massive lump lodges in ma throat.

'We're out eh there,' she says. Ah sat oan the bed. Ma covers, ma skill claes bundled beside me.

'Ah dinnae understaund.'

Sam rootit aboot. 'Ah'm no sleepin in the same room as him.'

Maw slumped. 'Please don't make this any harder, Sam.'

'An where's ma computer? Where's ma telly?'

Ah stertit tae look roon now. 'Where's ma telly?'

'Ye'll huv tae go back fur thum,' Sam says.

'Ah cannae, Sam.'

'He'll still be in the pub. Ye huv tae,' he insistit. Maw checked her watch. 'Ah'll come wi ye,' he says.

'Thirs hardly any space here as it is.'

'Ah need ma stuff, Maw,' Sam yelled.

She bit her lip. 'Aw right, but we need tae be quick. Ah dinnae want tae see yer da ever again.'

'Whit's gaun oan Maw?' Ah hear ma voice, it's wee an feart.

'Aw Gavin, it's going tae be awright ah promise. Now hurry.'

We aw gets in the car.

As soon as ah went intae oor hoose ah kent sumthin bad's happened. There's a broken plate oan the flair an chicken an gravy aw ower the livin room waa, the cooker is swimming in water – naw, it's pish.

'Aye,' Maw says. 'He peed aw ower the cooker. Still half sleepin, half drunk. It's the last time.'

Fuck. 'The last time?'

'Are you blind as well as thick?' oor Sam says. 'Now come oan you, run.'

An sumhow ah dae. Ah ran up the stairs an grabbed ma computer. Ah couldnae believe ah wis leavin ma wee box room. As ah got ready tae leave a heard a wee whimper. Ah saw her shadow through the gless eh the kitchen door.

'Tilly.'

'We leave her,' Maw says, 'fur now.'

Ah look aboot the wreckage eh the hoose. 'But Maw, remember he kicked her oot the front door just last week. He might kill her.'

'He won't. We cannae take her tae Granny and Papa's the night. They've hud enough fur one day. Now come oan.'

We got whit we came fur afore he got back fae the pub.

When we get back tae Granny's Sam cairied his stuff intae the hoose. But ah just sat there, no gettin oot the car.

'Come oan, son. Granny's taken one eh her emergency lasagnes oot the freezer. You must be hungry.'

'Why ur ye daein this tae us?'

'Aw, Gavin.'

'How can ye ruin oor lives like this? Why can ye no wait

until ah'm aulder?' Ah felt ma throat close an ma een fill but ah didnae care. 'Yer just a selfish bitch.' Thir wis tears runnin doon ma face. (Christ, thirs nearly tears runnin doon ma face as ah write this.)

'Ah've done too good a job hidin stuff. Protecting you.'

'Whit's he done? Loads eh das gan tae the pub.'

'You saw the hoose. His drinkin has become unbearable.'

'Why can you no just keep hidin it, protectin us? He niver hits us, he niver hits you.'

'Hittin isn't the only form of abuse. Ah cannae stand it any longer.'

'Aye, it's aw aboot you.'

She tried tae pit her airm roond me but ah shrugged her aff. 'Don't touch me. Selfish.'

'Ah'm so sorry. Sam wis startin tae be hurt. Remember last week when yer da threw Sam's ghetto blaster against the wall. It was his Christmas present, he was fair away with it. But he cheeked yer da and that's what happened. And that's going tae happen again.'

'He wis niver like that wi me.'

'It'll happen. One day.'

Just at that Sam came oot. It wis dark now an ah hoped he couldnae see me but when he opened the car door the light came oan.

'Whit's wrong wi you?'

Ah wiped my nose oan ma sleeve.

'Gavin wants to know why.'

'Why? Whit ah cannae understaund is why it took her sae long. Come oan. Granny's got oor dinner ready.'

Ah didnae eat it.

'Ah want tae go doon tae the hoose tae see if Da's back.'

'No,' Granny, Papa an Maw say thegether. 'He might go for you,' Granny says.

'He loves me.'

'What if he comes here?' Papa says.

'We'll phone the police.'

They hud locked aw the doors just in case.

Efter oor baths when we wir settled watchin telly, ma Uncle Tommy phoned Granny tae wish her happy Mother's Day an she just burst oot greetin aw ower again.

Maw telt us tae gan tae bed. Sumhow oor skill claes wir laid oot aw ironed, ready fur next day.

Christ knows how ah slept. Ah got ah fright in the middle eh the night. Ah thought ah heard a chap at the windae. Ah woke Sam up, or mebbe he wis awake.

'Sam whit's gaun tae happen?'

'Ah dinnae ken but it'll be better than wi that basturd.'

Next day as ah got ready fur skill ah noticed that even though we'd only been in the hoose a metter eh oors ma claes smelt foosty.

Granny made us toast fur brekfast. Ma maw must huv taken Jimmy's car back at night coz she run us tae the bus stop in Granny's car. As we passed oor road end ah noticed Da's Mitsubishi wis away.

'Whit ye gaun tae dae?' Sam asks her.

'Ah'll phone ma work, get the day off and go see a lawyer and the council aboot the hoose.'

When we got aff the skill bus oor hoose wis still locked up. Jimmy, fae across the road, wis workin oan Maw's car.

'Go tae yer granny's Gavin,' he says, wi a sad look oan his face.

When ah go intae Granny's hoose Tilly throws hersel at me.

'Ah went back doon and got mair stuff and Tilly,' Maw says.

Ah noticed her record case sittin in the corner. Kate Bush an Stevie Nicks rescued fae ma da's wrath an aw.

'Ah'm no steyin here, ah hate it.'

'It won't be for long, Gavin. The council were really good.'

'Ah'm no movin oot the village. We'll end up in the high flats in the toon beside aw the junkies an alkies.' That wis whit Chuddy telt me wid happen.

'That'll no happen, ah promise.'

An it didnae. Ah've nae idea how she did it but Maw went an hud a meetin wi Da in oor hoose. The next thing the cooncil gets the keys aff him an gies thum tae Maw.

We got oor hoose back efter six weeks.

*   *   *

So there ye go – the sorry tale an the stert eh sum awfy lucky escapes.

It's ower five years since that day an ma da's now a pure shambles, livin in that stinkin flat in the toon. He gied up his job when Maw tried tae get sum money fae him. Preferred the dole tae gien her a penny.

An mind that exam she wis studyin fur? Ah think she must huv passed it an aw the rest coz wan day me an Sam an Granny Annie went tae this big hall an watched Maw climb oantae the stage wearin a flappin black goon. Sum wuman, who Granny says used tae be a Bond Girl, dunts Maw ower the heid wi a hat an we get tae gan wi her tae this this fancy reception an drink champagne.

Ma da still husnae been tae see me since ma accident. Mebbe he didnae want tae come tae Granny Annie's, but still. Even Cru-ella came by tae visit the other day. Said she wished ah'd hurry up an come back next door. Beans' wee brere hus stertit flingin chuckie stanes at hur windaes an last week pou'd aw the heids aff her tulips.

'Ah ken ye wir a heller when ye wir wee Gavin, but it wid be guid tae huv ye back tae sort oot the wee toerags what ur wanderin the streets now.'

Efter she left, Merkie popped in as promised. Ah'd awready made up ma mind ah widnae tell him the hale truth aboot ma plan. Ah suspect he widnae be too chuffed so ah'd huv tae play it cute if ah needed his help.

'Moan then wee man,' he says. 'Let's git ye oan yer feet.' He smelt eh the outside, eh autumn comin an the promise eh sum dark nights an frosty mornins. If ah'm gonnae git oot eh here early ah better git crackin.

It wis fuckin sair tae stert wi, ah'm no gonnae lie. Ah'd hud loads eh wee turns up an doon the lobby oan ma ain wi Granny Annie flappin aboot.

'Watch ye dinnae faa; who's gonnae git ye up if ye faa, ah'm no able.' Ye ken the script.

She wis flutterin aboot me an Merkie as we wir leavin.

Thirs only two steps fae the kitchen oantae the path then

another two oantae the pavement. Luckily fur me the cooncil hud pit a rail oan each set eh steps fur when ma papa wis ill so ah could use thum tae lean oan. Merkie took ma crutches an stood in front eh me, airms oot ready tae catch me if ah fell. It wid huv been funny if ma leg an hips wurnae loupin like ah'd just swam the channel, there an back again.

Wance oan the pavement the loupin wisnae sae bad but sumthin weird kicked in. Ma heid went aw thon dizzy wey an ah could feel masel sort eh shakin. No shakin as in rattlin, but just a wee funny feelin like when ah wis up oan the skill roof an hud a wee thought ah couldnae get back doon, that sort eh shakin. Ah took ma crutches back an stood up straight, took a deep breath an that sort eh helped. Ah could see the young Hollyburn crew huddled at the end eh the street.

'Fuck sake,' ah says.

Merkie looked thir wey. 'Dinnae worry aboot them, they're just bein nosy.' He went tae take ma elbae but stopped an just stood by ma side. 'Why dae ye no just walk tae thum, say hello.'

'Ur you jokin, Geordie Munion's wee brother's in that lot.'

'Christ Gav, you've been locked up too long. Thir just wee laddies.'

Ah gulped in sum eh that autumn air an ma heid stertit tae clear. Merkie wis right, ah hud been locked up too long. It wis like when ye wir wee an hud a cauld an ye wir stuck inside fur a week. It ayeweys felt weird tae gan back oot.

'Aye, yer right,' says I. Ah gripped ma crutches an swung forit. An it felt ok. Ah swung a wee bitty mair an could see the wee boys stert tae back aff. Merkie wis right. Ah sped up, hurtlin tae thum oan three pegs.

'Whit the fuck you wee boys daein along here, get hame tae Hollyburn.' An they aw turned an ran, but afore they disappeared oot ma sight, Geordie Munion's wee brere turned an shoutit, 'Peg leg, peg leg. Ye look like a fuckin scarecrow, mister.'

Ah tried tae race efter him but ma crutches got tangled an ah wid huv ended masel if Merkie hudnae stepped in an caught me mid faa.

Ah stertit howlin wi laughter, ah couldnae stop.

'Ah'm gonnae get that wee shitbag,' ah says.

* * *

The day ah telt Maw ah wantit tae dae mair learnin, tae take anither test. She almost pished hersel laughin.

'It's no funny, ah'm serious.'

'Oh Gavin,' says she. 'You can't be serious.'

'How no?'

'After what you've been through.' She pointed tae ma legs. 'And you can't even walk.'

'Ah can so. Merkie came last night tae take me oot walkin. Ah even got as far as the Commie.'

She sat oan the end eh the bed an looked me right in the eye. 'How long have you been away from school?' Ah dinnae ken why she asked me that, she kens fine well ah've been away fur a year. 'And when you were there you didn't do much.'

Ah haud up the notebooks. 'Whit is this? You wir the yin that got me stertit oan this.' She pit oot her haund tae take it an ah snatched it away.

'No chance, you're no gettin a look. It's private.'

She stood up then an brushed her haund doon the smart power suit she'd taken tae wearin these days.

'Ah'm really glad you've done this Gavin, but ah thought it was tae help you with your driving theory test.'

'Aye, it is, but efter writin aw these stories it's made me realise that ma life hus tae change. It's aw right fur you wi yer fancy new job, you're away jetsettin. But whit aboot me an Sam?'

'Sam's doing OK.' Ah could see her dander wis up. She didnae like tae talk aboot Sam tae me. Guilt.

'Aye, Sam's sound, fur now, but that might no ayeweys be the case. He's an eejit an you ken that.'

'Don't call him that. He's just a bit irresponsible sometimes.'

'Whitever.'

She shiftit ma crutches oot the wey as she moved tae the windae. The wid pigeons hud been gien it laldy aw mornin, must be shaggin time fur thum ah reckon, but they stopped when Maw looked oot.

'If you'll no help me ah'll get sumbudy else tae dae it.' She spun roond then. Ah kent she widnae like that, control freak.

'Who?'

'Niver you mind.'

She picked up her bag fae the end eh the bed an leaned forit tae gie me a kiss. Her strong airport perfume made my neb twitch.

'Ah'll help. Ah'll see what ah can find out.' She tapped a red painted fingernail oan the notebook. 'But keep on with these. It's important.'

'Naw, ah'm finished wi this pairt eh ma story, it's time tae move oan.' Ah liftit up Charlie Bear an haundit him ower tae her. She held him close as if he wis a bairn. 'Take him Maw, he's done his job an so huv you. Ye've done yer best fur me an Sam, even if we dinnae aycweys tell ye.' It looked like she might stert greetin but the hard chap at Granny's front door made her jump back intae Mawness mode.

'Christ, it sounds like the polis,' she says.

'It probably is,' says I. Her face gans fae white tae red, tae a sort eh grey colour in seconds.

Thirs a commotion along the passage. 'The door at the end there son, you know the way.' Ah heard Granny say.

The door opened an the room filled wi the black bulk eh Sergeant Alexander. He nodit tae ma maw. 'You're looking well Lily,' he says.

He haundit me a big broon envelope. 'This is all you need for now Gavin,' he says. Maw's mooth wis hingin open an ah caught sight eh Granny hoverin at the door so ah pit thum oot thir misery.

'Ye dinnae need tae help much oan this wan Maw. Sergeant Alexander hus made aw the enquiries. He's got me the application form fur the Police College an is gonnae help me pass the test. Merkie's da's gonnae help get ma fitness up tae scratch fur the physical test.'

Granny wis in the room now, wringin her hankie nae doubt plannin her outfit fur ma passin oot parade. 'Have you told Joe and Maureen?' She wis squirmin wi smugness. 'Your da, and Sam? They'll be shocked.'

'Ah'll tell thum wance ah get accepted. They'll just huv tae get used tae the idea eh haein the polis in thir faimily rather than chappin the door every five meenits.'

The End

Acknowledgements

This project has been a part of my life for many years, and I could not have reached this stage without the help and advice of many generous people.

I would like to thank my writing groups, Critters and FK8 for reading episodes of my work whenever they appeared. In particular I'd like to thank Caroline Deacon, Claire Watts, Miranda Moore, Vicki Clifford and Charlie Gracie, who have read the full manuscript in many guises. Their astute, and honest feedback has been invaluable.

Many thanks are due to Gale Winskill for her advice on structure and plot. And huge thanks to Duncan Lockerbie for his editing and design work.

The broken leg plot line came late to this project – so thank you, physio extraordinaire, Ian Stevens, for your vital input. If any of the medical sections are wrong, it is down to my misunderstanding of a very tricky subject.

As always, my love and thanks go to Colin; my first reader and a constant support.

Lastly, I'd like to thank my sons, John and Gary whose teenage adventures gave me the original idea for these stories.

About the author

Moira McPartlin made a big impact with *The Incomers*, her debut novel set in Fife. It was shortlisted for the Saltire Society First Book of the Year Award and was a critical success.

Her speculative fiction Sun Song Trilogy novels, *Ways of the Doomed, Wants of the Silent* and *Star of Hope* set in 2089, reflect many issues we are living with today.

In September 2019 her short play *A Handful Of Glaur* was included as part of the UNESCO Cities of Literature Short Play Festival in New Zealand and in 2020 she was award a writing fellowship at Hawthronden Castle.

Moira is also a prolific writer of short stories and poetry and has been published in a variety of literary magazines.

She lives in Stirling.